KB103732

칼사비나 장편소설

역광(逆光)

제 목 │ 역광(逆光)

발 행 │ 2024년 5월 7일

저 자 │ Kalsavina(칼사비나)

펴낸이 │ 한건희

펴낸곳 │ 주식회사 부크크

출판사등록 │ 2014.07.15(제2014-16호)

주 소 │ 서울특별시 금천구 가산디지털1로 119 SK트윈타워 A

동 305호

전 화 │ 1670-8316

이메일 │ info@bookk.co.kr

ISBN │ 979-11-410-8387-8

www.bookk.co.kr

ⓒ 역광2024

본책은저작자의지적재산으로서무단전재와복제를금합니다

차례

1부

치과 청소부의 일기

1부
치과 청소부의 일기

2015년 5월 ( )일

 사람들이 병원에 대해 가지고 있는 선입견 혹은 편견 중 하나는, 일단 비위생적이고 아니고를 떠나 결코 편안하지 않은, 꺼림칙한 공간이라는 인식이다. 그러나 내 경우는 다르다. 아침 일찍 일어나 이 곳에 도착해 혼자 조용히 청소기를 돌리고 걸레질을 하는 고된 시간 동안, 나는 결코 이 공간을 꺼림칙하게 느끼지 않는다.

 다른 병원에서 일해 보지 않아서, 다른 병원들이 얼마나 비위생적인지는 알지 못한다. 하지만 치과의 경우는, 병원이라는 공간의 특성에 비추어 생각해 보면 꽤 깨끗한 편이다. 그러나 환자들이 아닌 그 곳에서 생활하는 사람들, 즉 그 공간에서 시간을 보내는 직원들의 생활 때문에 이 공간은 더러워지고 지저분해진다. 그들은 결코 자신이 어질러놓은 공간을 스스로 해결할 생각을 하지 않는다. 그들은 아마, 노예를 원할 것이다. 돈 따위는 주지 않아도 되는, 정말로 밥만 주고 부릴 수 있는 고대 로마 시대의 노예 혹은 중세 시대의 노예 혹은 미국의 남북 전쟁 이전의 남부 흑인 노예 같은, 그런 순수한 노예 말이다.

하지만 자본주의 사회에서는, 절대로 노예를 공짜로 부릴 수는 없다.

그런 생각들을 하다 보면, 어느 새 나의 이마에 식은 땀이 맺히고 온몸에서 열이 오른다. 반대로 먼지로 거무스름해졌던 타일 바닥은 어느 새 본래의 윤기를 드러내고 있다. 나는 솜씨 좋은 청소부가 아니지만, 어쨌든 이런 일은 노동의 결과가 비교적 정직하게 드러나는 법이다. 이곳에서 일한 지도 어느 새 한 달째다. 이제는, 그럭저럭 익숙해져 가는 참이다. 소공포와 대공포를 집어넣었던 세탁기가 어느 새 다 돌아갔는지 세탁 종료를 알리는 알람이 울려퍼진다.

세탁기에서 소공포를 꺼내 널어놓고, 여느 때와 마찬가지로 조용히 몇 개의 기본적인 치기구를 세척해 멸균기에 넣은 후 집으로 돌아왔다. 매우 단조로운 작업의 반복이다. 결코 많은 돈을 요구할래야 요구할 수가 없다. 내가 하루쯤 일을 쉰다 해서 이 치과가 돌아가지 않을 리는 없을 것이다. 하지만 이 단조롭고도 고된 직업을 어느 누구도 대신하지 못하기에, 그들은 기꺼이 돈을 주고 사람을 고용한다.

2015년 5월 ( )일

 처음부터 저주받은 인생이었다고 생각한다.

 일년에 한 번 집에 들어올까 말까 하던 아버지란 작자
는 술에 취해 있지 않은 적이 없었다. 걸핏하면 나를
두고 쓸모없는 년이라며 욕을 퍼부었다. 마찬가지로 우
울증 환자였던 어머니는 늘 술에 취해 늘어져 잠들어
있기 일쑤였다. 한 살 아래 여동생과 내가 교대로 밥을
하지 않았다면 온 집안 식구들이 다 굶었을 것이다. 그
이외의 집안일은 거의 여동생의 몫이었다. 그 여동생이
아니었다면 내가 자란 가정이 존속할 수나 있었을까 싶
다.

 그 여동생이 스무 살에 어이없이 교통사고로 죽은 후,
그 아이의 희생에 기대오던 가정은 여지없이 깨지고 말
았다. 남동생은 혼자 집을 나갔고 어머니는 재혼했다.
가진 것이라고는 반반한 얼굴밖에 없는 년이라며, 얼른
시집이나 가라는 잔소리를 입에 달고 살아야 했다. 어
차피 의붓아버지와 한 집에 살 수도 없을 것이 불 보듯
뻔했기 때문에, 나는 오래지 않아 집에서 나와 자취를
하며 이럭저럭 이십 대를 버텨냈다. 몇 명의 남자를 만
나고, 몇 번의 강간에 가까운 잠자리를 하고, 결국 그러
다 아이를 가지는 바람에 결혼을 하면서 잠시나마 내
인생이 평온을 찾는가 싶었다.

그 평온이 그렇게 짧을 줄은 몰랐다. 그리고 내 인생이 이렇게까지 비참해지리라는 생각 또한 그때는 하지 못했다.

정확히 한달 전 오늘, 지난 주에 찾아갔던 치과에서 전화가 왔다. 내일부터 나오라는 연락을 받았다. 터무니없이 적은 돈이기는 하지만, 현재로서는 다른 방법이 없다. 무엇보다 아침 일찍, 아니 거의 새벽에 가까운 시간에 가서 서너 시간 정도만 하면 거뜬히 끝낼 수 있는 일이다. 잠든 동현이를 깨우지 않아도 된다. 설령 깨어난다 해도, 이제는 일곱 살이다. 엄마가 없어도 두어 시간 정도는 기다리는 법을 안다. 언젠가는 이런 날이 올 거라고 생각해서, 미리 집을 보게 하는 버릇을 들여 두었기 때문이다.

2015년 5월 ( )일

아버지의 소식을 듣지 못한 지는 꽤 오래 되었다. 하지만 언제든 다시 마주치기만 하면, 꼭 복수하고야 말겠다고 이를 갈던 시절이 있었다. 마치 내 인생을 이렇게 비참하게 만든 원흉이 바로 내 아버지이기라도 한 것처럼 말이다. 이제는 그런 생각을 하지 않는다. 하고 싶어도 하지 못한다. 생존하고자 하는 필사적인 몸부림 덕분에 해묵은 원한마저 희미해지고 있다.

만약, 내게도 힘이 세고 건재한 아버지가 있었다면, 씀씀이가 헤프니 생활비를 얼마 이상 주지 말라는 따위의 말을 들을 일도 없었을 것이고, 결국은 친정으로 돈을 빼돌리는 년이라는 얼토당토않은 누명을 쓰고 쫓겨날 일도 없었을 것이다. 사실은 내 발로 걸어 나왔다. 애당초 동현이가 생기지 않았다면 하지도 않았을 결혼이었다.

그리고 결국, 나는 서른 다섯도 채 되지 않은 나이에 치과 청소부로 일해야 하는 비참한 현실에 직면하고 말았다. 나는 고등학교를 중퇴했지만, 고등학교만 무사히 졸업했더라도 이보다는 나은 직업을 가질 수 있었을 것이라는 걸 알고 있다. 물론, 요즘은 대학을 졸업한 사람들조차도 식당에서 설거지를 해야 할 정도로 취업 일선이 최악이라는 얘기는 들어서 알고 있다. 하지만 그들이 느낄 법한 그 자괴감조차도 내게는 사치스러운 감정일 뿐이다.

아이가 있다는 사실 때문에, 그 어떤 쪽으로도 극단적인 선택을 하지 못한다. 그러는 동안 빚은 계속해서 쌓여가고 있다. 신용불량자가 된 지는 이미 오래다. 집을 나오면서 들고 나온 통장 잔고가 슬슬 비어가는 중이다. 정말 이대로 가다가는 극단적인 선택을 해야 할지도 모른다. 아마 가장 먼저 해야 할 선택이 있다면, 동현이를 시댁으로 보내는 것이 될 것이다. 하지만 내 아들만은 무슨 일이 있어도 잃을 수 없다. 죽어야 한다면, 어쩌면 같이 죽는 것이 최선의 선택이라고 생각되는 건, 아마

나 없이 혼자 살아가게 될 이 아이의 미래가 나와 마찬가지로 빛이라고는 들지 않는 미래일지도 모른다는 두려움 때문일 것이다.

2015년 6월 ( )일

  처음에는 그토록 힘들었지만, 이제는 청소기와 대걸레질 사용에 조금씩 익숙해졌다. 의료폐기물 박스 위로 굴러다니는 뽑혀나온 생니를 보고도 그러려니 하고 넘길 수 있게 되었다. 처음에 그것들을 보았을 때, 나는 화장실로 가서 손으로 입을 틀어막고 헛구역질을 했었다. 보철틀에서 알지네이팅 작업 후 남은 스톤을 제거할 때도 마찬가지였다. 사람의 입 속에 들어갔다 나온 단단한 핑크색 고무덩어리를 칼로 짓이겨 빼는 작업을 할 때면, 나는 나 자신이 마치 생선을 손질하는 생선장수가 되기라도 한 듯한 착각이 들곤 했다.
  적은 돈을 받고도 이 일을 할 만하다고 느끼는 이유는, 아마도 사람들이 없는 곳에서 일을 할 수 있기 때문이 아닐까 하고 생각한다. 만약 누군가의 시선 즉 연민이나 경멸어린 시선 따위를 감내해가며 일을 해야 한다면 아마 견디지 못하고 다른 일을 찾았을지도 모르겠다. 대개 9시쯤 되어 거의 모든 일을 마치고 나면, 직원들이 하나 둘 출근하기 시작한다. 그들은 대체로 내게 친절한 편이다.

지금까지 내가 해 온 이런저런 일들 가운데, 일 자체를 문제삼아야 했던 일들은 별로 없다. 대부분 사람들과의 불화로 인해, 나는 애써 어렵게 들어간 직장을 번번히 그만두고 나와야 했다. 여자들은 나의 미모를 질투했다. 남자들은 내게 추근댔다. 설령 내가 예쁘지 않았다 해도 남자들이 나를 두고 추근댔으리라는 건 자명한 사실이다. 내가 하지 않은 일에 대해서도 그들은 곧잘 내 탓을 해대곤 했다. 처음에는 그저 참았지만, 나는 어느 순간 그 일들이 내가 그 부당한 대우를 참아가며 지속해야 할 만큼 대단한 일들이 아니라고 느꼈다.

다행히 이 일은, 그런 속시끄러운 언쟁이나 분쟁 따위가 일어날래야 일어날 수가 없는 곳이다. 나는 그저 조용히 내 할 일만 하면 된다. 게다가 이 일은 다른 어떤 일과도 비교할 수 없이 큰 메리트를 가지고 있다. 다름 아닌 근무 시간의 유동성이다.

병원이라는 장소의 특성상, 환자들을 진료하는 시간에는 청소를 하지 못한다. 그 말은, 이른 아침이 아니면 늦은 저녁이라야 한다는 뜻이다. 만약 부득이하게 아침에 출근하지 못할 경우에는, 그 전날 저녁에 와서 일을 해놓고 가도 된다는 뜻이다. 낮잠을 자지 않는 동현이가 일찍 잠드는 날이면, 밤 9시가 넘은 시각에 와서 조용히 문을 열고 들어가 일을 마치고 돌아올 수 있었다. 처음에는 나를 심정적으로 비참하게 했던 일이지만, 이제는 오히려 다른 그럴싸한 일들 -이를테면 웃가게 여점원과 장난감 가게 여점원 혹은 블록방의 레고 맞추기 아르바이트 같은 일들보다 훨씬 정신적으로 편안하다.

2015년 6월 ( )일

아침에 출근할 때는 실장이 맡긴 카드키를 사용해 문을 연다. 잃어버리지 않도록 줄이 달린 카드 지갑에 넣어 가방에 넣어두고, 절대 실수로라도 가방을 바꿔 드는 일이 없도록 조심한다. 제시간에 도착하지 않으면 진찰실과 로비를 청소할 수 없다.

낡은 공업용 청소기는 무겁기만 할 뿐 먼지를 제대로 빨아들이지 못한다. 그래서 때로는 그냥 물걸레질을 두 번 세번 반복하기도 한다. 대체로 일이 고된 날은 월요일과 화요일 아침이다. 금요일과 토요일에 걸친 이틀 동안 치과는 아수라장이 되고 그걸 다 치워야 하는 날이 월요일이기 때문이다. 수요일은 야간진료일이기 때문에 목요일 아침 또한 힘들다.

80평 남짓한 공간을 두세 시간에 걸쳐 청소하는 건 고된 노릇이다. 하지만 보는 사람이 아무도 없어서, 그 누구의 눈치도 보지 않고 일할 수 있다는 것 좋다. 아직 그렇게 많은 나이가 아닌데, 겨우 이런 일이나 하는 데 만족하는 자신이 한심스럽고 서글프게 여겨지는 건 어쩔 수 없다.

환경이 사람을 만든다고 했다. 그런 말을 언젠가 들은 적이 있다.

이대로 동현이를 키우며 치과 청소부로 늙어가는 미래를 상상하니 끔찍해졌다. 어디까지나 임시로 하는 일일 뿐이라고 다짐하지만, 때로는 수렁에 매몰되어 가는 기분이 든다. 아마, 창녀촌으로 흘러든 여자들 또한 처음에는 나와 똑같은 생각을 했을 게 분명하다. 절대로 오래 하지 않겠어. 어떻게든 여기에서 벗어나고 말 거야, 라고.

하지만 혼자 조용히 스텝실의 의자에 앉아 소공포를 개고, 라텍스 장갑을 끼고 멸균기에서 나온 치기구를 포장하는 동안, 나는 이 고요하고도 평화로운 수렁에서 결코 헤어나오지 못할 거라는 직감에 사로잡혀 입술을 깨물곤 한다.

2015년 6월 ( )일

이 치과에서 내가 마주치는 남자는 두 명이다. 아니 정확히는 세 명이지만, 그 중 한 사람은 거의 마주칠 일이 없고 게다가 서로에게 관심도 없다. 거의 서로에게 있어 투명인간과도 같은 존재이다. 그러니 실제로는 두 명인 셈이다.

한 사람은 실장이다. 내 일과 관련해서 거의 모든 일을 처리하는 사람이다. 학생 같은 외모를 가진 그는 나보다 훨씬 어리지만 점잖으면서도 쾌활하다. 그가 남자라는 사실을 무엇보다 다행스럽게 생각하게 되는 건, 그가 만약 여자였다면 결코 그와 우호적인 관계를 유지하지 못했으리라는 직감이 있었기 때문이다. 관대하게 용납할 수 있는 사소한 실수에도 사람을 정신적으로 피곤하게 만드는 잔소리를 늘어놓았을 게 뻔하다고 생각한다. 내 일이라는 게 아주 어렵거나 복잡한 일이 아니고, 실수라고 해봐야 치기구를 포장할 때 핀셋과 미러를 바꿔 넣는 정도의 사소한 실수에 불과할 텐데도 말이다. 물론, 나는 되도록 그 두 명의 남자가 내게 신경써야 할 일을 만들지 않으려고 부단히 노력했다.

나머지 한 사람은 다름아닌 원장님이다.

말수가 적고 인상이 부드러웠던 그는 의외로 나이가 많지 않아 보였다. 기껏해야 나보다 서너 살 많은 정도였을까. 얼굴이 갸름하고 눈이 크지 않았으나 눈매가 또렷하면서 부리부리한 인상을 주었다. 단정해 보이는 그 얼굴이 마음에 들었지만, 섣불리 그런 말을 입 밖에 냈다가는 어떤 상황이 벌어질지 모를 노릇이었기에 나는 그저 꾹 참아야 했다.

투명인간이나 다름없는 세 번째 남자, 즉 부원장과는 정말로 거의 마주칠 일이 없었지만, 이따금 마주치면 어김없이 깍듯하게 인사를 해 오는 것으로 그의 존재를 확인시켜 주었다. 두꺼운 뿔테 안경을 낀 그의 정중한 태도는 어쩐지 일개 치과청소부에게는 과분하게 느껴졌고, 그래서 되도록 그와는 마주치고 싶지 않았다. 그런 류의 남자들이 얼마나 차가운지를 익히 경험한 바가 있기 때문에 더더욱 그런 건지도 모르겠다.

2015년 6월 ( )일

별 수 없이 엄마로부터 약간의 돈을 빌려야 했다.

혹, 재혼한 의붓아버지가 술에 취해 나와 동현이가 사는 빌라를 찾아오더라도 절대로 문을 열어 주지 말라고 엄마는 전화로 신신당부를 했다. 어차피 엄마가 전화를 하지 않았다 해도 절대 문을 열어 줄 생각 따위는 없었다.

엄마와 재혼하기 전부터 그 작자는 내게 노골적으로 눈독을 들였다. 걸핏하면 나를 겁탈하기 위해 호시탐탐 기회를 엿보곤 했다. 결국은 그 작자를 피하는 데 지쳐서 전남편과 내키지 않는 동거를 시작해야 했던 것이다. 가끔, 이 나라에서 돈없고 힘없는 여자로 살아간다는 게 어떤 것인지에 관해 진지하고도 서글픈 의문을 품게 된다.

민주주의니 자본주의니 하는 무슨무슨 '주의'라는 것에 대해 이따금 생각해 보게 되는데, 결국 그런 '주의'들이 나 같은 밥버러지들에게 무슨 의미가 있겠나 싶다. 하지만 동현이가 자라고 있다는 사실 때문에, 이렇게 무식해서야 곤란하지 않을까 하는 생각도 든다. 언젠가

는, 고등학교조차 마치지 못한 엄마를 창피하다고 생각
하게 되지 않을까.

그래도 학교를 졸업하기 전까지 공부는 잘했었다. 그
래서, 어렵사리 구한 몇 권의 영어로 된 동화책 (제법
글밥이 많은)을 하루에 두 번씩 꼭꼭 동현이에게 읽어
주곤 한다. 내게는 하루 중 가장 평온한 시간이다.

전남편에게서 별다른 연락이 오지 않는 걸로 봐서는,
여전히 그 여자랑 잘 지내고 있는 모양이다.

2015년 6월 ( )일

아침 일찍 소공포를 개고 있을 때, 웬일로 원장님이
내가 일하던 스텝실로 들어왔다. 그리고는 내 맞은편에
놓인 의자에 앉았다. 그 스텝실은 이따금 회의를 할 때
면 으레껏 어느 누구 하나 할 것 없이 자연스레 모여드
는 방이었고, 따라서 원장님이 그 방에 들어와 앉는 것
자체는 전혀 이상할 것이 없었다. 그러나 회의가 없는
날 일부러 이렇게 스텝실에 들어와 자리를 잡으리라고
는 전혀 예상을 하지 못했다.

"일하시는 건 괜찮으세요?"

"네?"

"특별히 불편하신 거라도 있으실까 해서 여쭤 보는 겁
니다. 다른 뜻은 없구요."

"아, 네."

소공포를 쥔 손이 떨리는 이유를 알 수가 없었다.

"괜찮습니다. 신경 써 주셔서 감사합니다."

몇 초간, 아니 몇 분이나 될지도 모를 침묵이 이어졌다. 그 동안 치위생사인 여직원 하나가 들어왔다가 원장님의 모습을 확인하고는 이내 나가 버렸다. 그녀가 나간 문을 잠시 쳐다보던 원장님이 낮은 목소리로 다시 입을 열었다.

"어제 같이 있던 그 남자애는, 조카인가요? 아니면, 아들?"

"남자애요?"

"어제 H마트에 가셨잖습니까? 여섯 살 정도 되어 보이는 아이하고요."

"아……."

그 전날, 동현이를 데리고 밤늦게 마트를 다녀왔다. 파워레인저 시리즈를 사 달라고 조르는 녀석을 더 이상 외면할 수가 없었던 것이다. 다행히 파워레인지는 예상했던 것보다는 싼 가격표가 붙어 있었는데, 여름 이벤트로 대대적인 세일을 하고 있었던 덕분이었다. 그 덕에 동현이와 느긋하게 저녁까지 먹고 돌아올 수 있었다.

그러는 동안 나는 원장님을 보지 못했으나, 원장님은 어딘가에서 나를 보았던 게 분명했다.

"아들이에요."

나는 망설임없이 대답했다. 대답하지 못할 이유가 없었다. 원장은 약간, 당혹해하는 기색을 보였다가 이내 그 표정을 싹 지웠다. 그러나 나는 놓치지 않았다. 그의 반듯한 마스크를 스치고 지나간 그 표정은, 분명 당황한 사람의 표정이었다.

"미혼이신 줄 알았는데. 아니, 죄송합니다."

원장님은 서둘러 자리에서 일어섰다.

"실례되는 발언을 했습니다."

"아닙니다. 미혼인 건 맞거든요."

"네?"

"남편, 없어요."

다시 잠깐의 침묵이 오갔다.

잠시 후 원장님은 일어서서 스텝실 밖으로 나갔고 때마침 다시 들어오던 다른 치위생사 아가씨와 이번에는 어깨를 세게 부딪쳤다.

2015년 7월 ( )일

내가 이 일기를 쓰는 이유를 나도 모르겠다. 그냥, 머릿속에 떠오른 생각이나 그날 일어났던 일을 글로나마 남겨두지 않으면 정말로 바보 멍청이가 되어버릴 것 같은 기분이 든다.

어제 아침, 실장이 조용히 나를 불렀다. 오후에 잠깐이라도 나와서 치기구 세척을 해 줄 수 있겠느냐는 제안을 해 왔다. 일주일 내내 나올 필요는 없고, 특별히 바쁜 서너 요일만 나오면 된다고 했다.

나쁘지 않은 제안이었다. 우선 조금이라도 돈을 더 벌면, 급한 대로 동현이를 보습 학원이라도 보낼 수 있다. 내년에는 학교에도 가야 하는데, 이대로 아무것도 가르치지 않고 아무 학원에도 보내지 않으면서 마냥 놀릴 수만은 없었다. 동현이가 학원이라도 가 있는 동안 얼마든지 할 수 있는 일이고, 시간이 조금은 맞지 않는다 해도 그 정도는 학원 측에 양해를 구하는 식으로 해결할 수 있을 것 같았다. 도저히 안 되겠다 싶을 때는 얼굴에 철판을 깔고 엄마에게 동현이를 잠깐씩 맡겨 놓을 수도 있었다.

엄마는 동현이를 귀여워했고, 수차례 나와 남편의 재결합을 시도했지만 번번이 실패했다. 나의 시어머니는 완고했고, 며느리인 나를 싫어하는 것보다 더욱 내 어머니를 싫어했다. 한번 결혼에 실패했다는 점이 두말할 것 없이 가장 큰 이유였다.

그 시어머니가 어제 전화를 걸어 왔다.

동현이는 자신이 키울 테니, 그쯤 하고 동현이를 보낼 준비를 하라는 내용이었다. 말하자면, 반 협박에 가까운 통보였던 셈이다. 그녀의 목소리는 드라마 속 성우의 목소리를 방불케 할 만큼 가녀리고 사근사근했지만 그 아름다운 말투에 실린 감정은 결코 아름답지 않은 감정이었다. 나는 별다른 대답 없이 전화를 끊어 버렸다.

다시, 실장의 제안으로 돌아가자. 따로 사람을 구할 수도 있었지 않느냐는 질문을 하려다가 그 질문을 목으로 삼켜 버렸다. 생각해 보면, 사람을 이중으로 쓰는 건 번거로운 일이다. 아마 나가는 비용도 만만치 않을 것이다. 차라리 한 사람에게 돈을 좀 더 주고 일을 맡기는 편이 훨씬 이득이 된다. 이 제안은 실장을 통해 들어온 것이기는 하지만, 어디까지나 원장님의 머릿속에서 나온 생각임에 분명했다.

남편이 없다는 말을, 괜히 했다는 후회가 들었다.

2015년 7월 ( )일

여전히 카드빚은 목줄을 죄어오고 있고, 매달 나가는 집세는 모든 생활의 여유를 앗아가는 악순환이 매번 반복되고 있다. 동현이가 없으면 좀 더 제대로 된 직장을 구하기가 한결 수월할 텐데라는 생각이 요즘 들어 물밀듯이 일기 시작한다.

동현이는 요즘 들어 부쩍 짜증이 늘고 예민해졌다. 친구들과 어울리지 못하고, 아무 학원에도 가지 않으면서 일주일에 서너 차례씩 외갓집에 맡겨지는 이 생활이 자기가 생각해도 부당하다고 느낀 걸까. 내 아들인데도 이제는 점점 감당하기가 힘들어진다.

게다가, 매번 엄마에게 맡겼던 동현이를 집까지 데려다주는 건 다름아닌 의붓아버지다. 단호하게 문을 닫고 동현이만 들여보낸 후 문을 닫지만, 말할 수 없이 기분이 더럽다. 동현이에게 물어본 바로는, 외할머니도 있고 해서 그런지 손찌검을 하거나 하지는 않는 모양이다.

게다가 동현이의 말로는 같이 종이접기나 로보트 역할 놀이 정도의 간단한 놀이 동무는 되어 주는 모양이었다.

그럼에도 불구하고, 절대 집 안에 들일 생각은 없었다. 설령 동현이가 같이 있다 해도 말이다.

2015년 8월 ( )일

아무래도 큰 실수를 저지른 것 같다.

정확히 말하면, 일이 꼬여버린 거라고 해야겠다. 설마 하니 그 통화의 내용을 원장님께서 다 들으셨기야 했겠느냐만, 아무래도 조금은 듣지 않았을까 싶다.

치과 청소부로 일하는 동안, 원장님의 진찰실을 청소하는 것은 항상 퇴근을 앞두고 마지막에 하는 일이었다. 그 시간에는 원장님이 진료를 하느라 진찰실에 계시지 않을 시간이었기 때문이다. 따로 재떨이는 두지 않았지만, 가끔 내가 모르는 종류의 담배갑이 한두 갑 놓여 있는 것을 보았기 때문에 원장님이 담배를 피우신다는 걸 알고 있었다. 다만 어디에서 어떻게 피우는지를 몰랐을 뿐이다.

원장님이 담배를 피우는 곳인 줄도 모르고, 그 기계실 뒤 기둥에 숨어서 한참이나 전화를 받고 있었던 것이다. 은행으로부터 날아온 카드대금 독촉 전화며, 동현이를 빨리 보내지 않고 뭐하느냐는 시어머니의 역정섞인 전화까지 말이다. 침착하게 대응하고 싶었지만 둘 다 침착하게 대응할 수 있는 전화는 아니었다. 나는 하소연하고 화를 냈다. 그래 봤자 해결할 수 있는 게 아무것도 없었지만.

이제는 노래방 도우미로라도 나서야 한다는 건가, 라는 극단적인 생각까지 하다가 그럴 바에는 그냥 죽는 게 나을 것 같다고 생각하며 전화를 가방에 넣는 것과 동시에 등 뒤에서 누군가가 불쑥 튀어나왔다. 처음에는 소리를 지를 뻔했으나, 이내 나를 지나쳐 복도 끝으로 성큼성큼 걸어가는 흰 가운을 입은 뒷모습을 본 나는 하마터면 그 자리에 주저앉을 뻔했다.

의심할 나위 없이, 그는 원장님이었다. 기둥 하나를 사이에 두고, 원장님은 내 통화를 남김없이 다 듣고 있던 것이다. 여유롭게 담배를 피워가면서.

2015년 8월 ( )일

처음에는 멋모르고 시작한 일이었지만, 예상 외로 힘든 일이었다. 단순히 몇 가지 기본적인 치기구 세트-핀셋과 미러 그리고 익스플로러-를 씻기만 하면 되는 일이라고 생각했는데 그게 아니었다. 훨씬 더 복잡하고 정교한 작업들이 줄을 이었다. 임플란트 시술에 사용하는 기구들이며 스케일러, 핸드피스 등 이름도 모양도 생소한 치기구들이 줄을 이었다.

어떤 것은 설거지를 하듯 세제로 씻어내야 했고, 또 어떤 것은 스프레이로 오일링을 한 후 환자용 체어에 달린 기구를 이용해 에어 세척을 해야 했다. 파일이나 버와 같은 뾰족한 기구들, 혹은 익스플로러와 같은 날카로운 기구들을 다룰 때면 장갑을 끼고도 손을 찔리는 경우가 왕왕 있었다. 아니, 거의 하루에 두세 번 꼴로 가벼운 절상이나 자상을 입는 게 거의 일상이 되었다고 해야겠다.

그러나 그 어떤 작업도, 알지네이트 제거 작업만큼 힘들지는 않았다. 아침에 치과청소만 할 때도 일주일에 사나흘 정도는 알지네이트 작업을 했었지만, 이번에는 거의 매일 보철틀에서 알지네이트를 제거해야 했다. 보철틀의 구멍 사이사이에 징그럽게 달라붙은 알지네이트가 지독히도 질겨져서 떨어지지 않는 이 작업은 내게 그 어떤 작업보다 심각한 자괴감을 선사했다.

쇠로 된 스파츌라를 써서 알지네이트를 긁어내 제거하는 작업을 반복할 때면, 매번 생선의 비늘을 칼로 긁어내는 생선 장수가 된 기분에 빠져야 한다.

이 모든 일련의 작업들은, 그래도 사람을 상대해야 하는 일을 해본 나로서는 어떻게든 견뎌낼 수 있는 것들이었다. 그 말은, 정작 견뎌내기 힘든 것들은 따로 있었다는 뜻이다.

오전에 끝나는 청소와 달리, 오후에 하는 치기구세척의 경우는 싫어도 이따금 진찰실에 들어가야 하는 경우가 간혹 있었다. 여유로운 표정으로 체어에 누운 환자들의 입 속을 들여다보는 치위생사들, 두 명의 원장님들, 그 중에서도 공식적인 내 고용주인 (비정규적이기는 해도 엄연히 고용주는 고용주다) 그를 이런 식으로 마주쳐야 한다는 건 내게는 고역이다.

카드빚 독촉에 쩔쩔매는 나의 전화 통화 내용을 들으며 그가 무슨 생각을 했을지가 궁금하지만, 이미 엎질러진 물은 되담을 수 없다. 이유야 어쨌든 그는 고마운 사람이다. 단순히 나를 고용했기 때문만은 아니다.

내가 느끼기에는, 그는 겉으로는 친절하지만 그건 어디까지나 대외홍보용 친절일 뿐이라고 생각한다. 의사라는 직업을 제쳐두고라도 그는 따스한 성격의 소유자가 아니었다 지금까지 몇몇 남자를 만나본 덕분으로 그 정도로 남자를 파악할 줄 아는 안목이 생긴 거라고 생각한다.

타인과 항상 적정한 거리를 유지하고, 언제나 자신이 정해둔 만큼의 친절만을 베푼다. 아마도 누구나 그렇듯, 내면의 외로움은 간직하고 있겠지만, 그걸 상쇄할 수 있을 만큼의 돈과 명예를 지닌 사람이다. 딱히 타인에게 자신의 마음을 열어 보여야 할 이유도 없겠지만, 내 눈에는 그가 태생적으로 차가운 성품을 타고난 사람으로 보인다.

정작으로 내가 그에게 고마움을 느끼는 건, 바로 그러한 그의 정중한 차가움이다.

타인을 대하는 그의 태도에서 묘하게도 그의 일관적인 인간관이 느껴진다. 아마도 그에게는 치과의사도, 치위생사도, 치과청소부도 다 똑같은 인간에 불과할 것이다. 오늘도 내일도 그 다음날도, 성실하고도 집요하게 돈을 벌어 먹고 살기에 바쁜 그저그런 인간 말이다.

샤프하지만 차가운 그를 꼭 닮은 외과용 가위 하나를, 아무도 모르게 슬쩍 빼돌려 호주머니 속에 숨겨 두었다. 길고 가는 몸체에, 독수리의 부리마냥 뾰족한 끝이 위협적인 각도로 날카롭게 꺾여 있었다. 정확한 명칭을 몰라 그저 '외과가위'라고만 부르는 그 가위를 빼돌린 건, 그 가위가 보여주는 날렵한 라인에 매료되었기 때문이다. 호신용으로 유용할 것 같다는 생각을 한 건 그 다음이다.

2015년 8월 ( )일

무더운 열대야에 지친 탓일까. 동현이의 투정이 날로 늘어가고 있다. 이제는 이 녀석의 투정을 받아주는 것이 너무나 힘들다. 아니, 때로는 녀석의 존재 자체가 내게는 고문이라는 생각마저 든다. 그럴 때면 내 인생이 너무나 증오스러워진다.

이제는 녀석을 외갓집에 맡기지 않는다. 밥을 차려두고 TV를 틀어둔 후 문을 걸어잠그고 집을 나온다. 낮 동안 일을 하는 그 시간이 피가 마르지만 어쩔 수 없다. 이렇게라도 돈을 벌지 않으면 집세를 내지 못한다. 아침으로만 일해서 버는 돈만으로는 턱없이 부족하다. 그랬다간 동현이를 꼼짝없이 굶겨야 할 판이다.

 그러나 오늘 같은 경우는 나로서도 정말 힘들다.

 나를 기다리다 지친 녀석은 엄마가 없는 동안 밖에 나가지 말라는 경고를 싹 무시하고 혼자 밖에 나가 실컷 놀았던 모양이다. 지쳐서 집에 들어왔을 때, 텅 빈 집을 발견하고 대경실색해 동현을 찾으려고 무작정 엘리베이터를 다시 타고 내려가는 그 심정을 도대체 누구에게 어떻게 하소연해야 할 지 알 수 없었다. 천만다행히도 녀석은 멀리 가지 않고 집 근처 놀이터에서 혼자 미끄럼틀을 위아래로 오르락내리락타며 놀고 있었다.

 나도 모르게 정신줄을 놓고, 녀석을 힘껏 밀어 넘어뜨려 버렸다. 정신을 차리고 보니, 짙게 깔린 황혼이 수놓인 하늘 아래서 나는 미친 듯이 동현이를 때리고 있었다.

 얼굴이 땟국물과 눈물로 범벅이 된 채, 씻지도 않고 녀석은 집에 오자마자 기절하듯 잠들어 버렸다. 정말이지 이렇게까지 막다른 곳에 몰려야 하는 게 맞는 건지 알 수가 없었다. 왜 사람들이 자살충동을 느끼는지를 절실히 깨닫는 순간이었다. 이대로라면, 결국 나 자신이 오래 버티지 못할 것 같다는 예감마저 들었다.

 2015년 9월 ( )일

사람들은 나를 치과 청소부라고 부른다. 정확히는 나를 '청소 이모님' 혹은 '청소 여사님'이라고 부른다. 그런 호칭으로 불리기에는 내 나이가 턱없이 적다는 사실에 대해서 그들은 전혀 신경쓰지 않는다. 그런 그들에게 악의는 없다. 나 자신도 잘 알고 있다.

치과 직원들은 모두 내게 친절하다. 내가 친절하게 대하지 않을 경우 내가 받을 상처를 충분히 알고 있는 사람들의 배려 넘치는 친절이다. 분명 그 친절은, 냉담하거나 공격적이거나 불친절한 것보다는 내게 충분히 나은 상황인데도 때로는 그 친절이 버겁다.

동현이에 대한 걱정 때문에 이 여름이 어떻게 지나가는지도 모르고 있었다. 엄마는 계속해서 동현이를 친가로 보낼 것을 종용하신다. 미안한 마음을 애써 감추면서, 또한 넘쳐흐르는 분노를 애써 삭이면서, 엄마는 남편과 다시 합칠 게 아니라면 그만 동현이를 아빠에게 보내는 게 좋겠다고 연거푸 되뇌이고 있다.

다행히도 원장님은, 언젠가 엿들었을 나의 수치스러운 통화 내용에 대해서 두 번 다시 언급하지 않았다. 스텝실로 나를 찾아와 일부러 말을 걸거나 하지도 않았지만, 그가 나에 대해 무엇인가 따로 짐작하는 게 있을 거라는 막연한 직감은 있었다.

복잡하게 생각할 필요는 없다. 이 치과는 어디까지나 내게는 일터이고, 일한 만큼 돈을 챙겨가는 곳일 뿐이다. 이 곳에서는 수치심 따위로 괴로워해서도 안 되고, 타인과 나 사이에 놓인 엄연히 존재하는 신분의 격차 따위를 체감하며 분노해서도 안 된다. 상처받을 자존심 따위는 애당초 집에서 나올 때 동현이와 함께 두고 나와야 한다. 자존심의 무게는, 빌어먹을 X나게 무겁다. 무거워서 들고 나올 수가 없다.

2015년 9월 ( )일

 내 인생이 어디까지 벼랑 끝으로 내몰려야 하는지 모르겠다.
 지친 몸을 이끌고 집으로 돌아와 문을 열었을 때, 집 안에는 동현이가 없고 의붓아버지만이 덩그러니 소파에 앉아 담배를 피우고 있었다. 분명 문을 열어 준 것은 동현이일 텐데, 왜 이 사람이 여기 들어와 앉아 있는지 알 수 없었다.
 동현이는 어디 갔느냐고 몇 번이나 외치는 나의 절규를 무시한 채, 그 짐승 같은 작자는 내 손목을 꺾어 뒤로 돌려 소파에 내던지고 나를 강간하려 들었다. 도대체 어떻게 발버둥쳐 그 작자로부터 벗어났는지 모르겠다. 죽을 힘을 다해 고함을 지르고 닥치는 대로 살을 물어뜯었다는 기억만이 남아 있을 뿐이다.
 내가 그 작자로부터 벗어날 수 있었던 것은, 아마도 거의 일흔에 가까웠던 그의 나이 덕분이었을 것이다. 그는 내 전남편만큼 힘이 세지 않았다. 필사적으로 저항하는 나를 완전히 힘으로 제압할 수 있을 정도의 힘을 발휘하기에는, 그는 애매하게 나이 들어 버린 늙은 이였다.

-동현이 어디 갔냐고요.

경비실 호출 버튼을 누른 후, 앞주머니에서 수술용 가위를 꺼내든 나는 침착하게 가위의 손잡이를 거머쥐고 독수리의 부리처럼 뾰족하게 꺾어진 가위를 그에게 들이밀었다. 호신용으로 쓰면 좋을 것 같다는 생각에 치과에서 몰래 빼돌려 지니고 다니던 가위였다.

기세좋게 나를 강간하려 시도한 것까지는 좋았으나 끝내 뜻을 이루지 못한 자신이 한스러웠던 것인지, 그는 가증스럽게도 떨리는 목소리로 대답했다.

"네, 엄마가, 데려갔다. 그리고, 동현이 아빠가."

2015년 9월 ( )일

내가 현실 속을 살고 있는 건지, 아니면 꿈 속을 살고 있는 건지 알 수가 없다. 너무나도 지쳐서 그런 건지, 이제는 동현이가 내 곁에 없다는 사실에 대해 분노하거나 절망할 힘조차 남아 있지 않았다.

외할머니의 목소리가 들려오지 않았다면, 그리고 문고리를 걸어 잠그고 빼꼼히 열어 본 문 틈새로 외할머니와 그 작자의 모습이 보이지 않았다면 동현이는 문을 열지 않았을 것이다. 아니, 그 두 사람 말고도, 동현이가 정말로 보고 싶어했을 사람, 동현이 아빠의 모습이 나타나지만 않았더라도, 동현이는 문을 열지 않았을지도 모른다.

 -널 아동학대에 방치 혐의로 고발하겠다고 했어.

 -할 테면 해보라고 해요.

 -법으로 가면 네가 불리해. 그리고 우리는 소송할 힘도 없어. 정신 좀 차려 이것아. 이러다간 네가 먼저 죽어. 그러면 어차피 아빠한테 가야 할 애야. 네가 걔를 데리고 있으면서 걔까지 죽여야겠니?

 엄마가 한 말이 머리를 떠나지 않는다. 이러다간 네가 먼저 죽어. 그러면 어차피 동현이는 제 아빠한테 가야 할 애야. 네가 걔를 데리고 있으면서 걔까지 죽여야겠니?

 그 애까지 죽일 수는 없다. 그게 최선이라고 말할 수가 없다. 하지만, 적어도 한 가지는 분명하다. 이러다간 내가 죽을 판이라는 거.

 2015년 10월 ( )일

 -내일, 저희 회식할 건데 같이 가시죠?

 나는 깜짝 놀라 원장님을 똑바로 쳐다보았다.

 동현이가 떠난 후로, 어째서인지는 모르지만 사람들의 말이 귀에 선명하게 들어오지 않는다. 꼭 먼 곳에서 들려오는 메아리처럼 정신사납게 웅웅거리며 울려퍼지는 느낌이었다. 나는 고개를 내저었다. 웃고 싶었지만 웃음이 나오지 않았다.

살면서 가장 중요한 것은, 적당히 거리두는 법을 아는 거라고 생각한다.

내 속을 꿰뚫어 본 것인지, 원장님은 몸을 돌려 스텝실을 나가기 전 잠깐 고개를 돌려 나를 쳐다보았다. 한순간이었지만 꽤나 유심히 쳐다보는 눈길을 맞받아치기가 어색해서, 얼른 고개를 돌리고 개려고 걷어놓은 소공포를 하나하나 접었다.

나는 어디까지나 치과 청소부일 뿐이다.

모든 인간이 평등하다는 소리는 개나 줘야 할 헛소리다. 천부인권, 학교 다닐 때 배운, 그 모든 인간이 가지고 태어났다는 권리, 그래 그건 그럴지도 모르겠다.

그러나 딱 거기까지다.

인간은 평등하지 않다. 절대로 평등하지 않다. 모든 인간이 평등했던 적은, 이 지구가 생겨난 이래로 단 한 번도 없었을 거라고 확신한다.

2015년 10월 ( )일

도대체 이해할 수가 없다.

놀라 입이 다물어지지 않을 정도로 큰 금액이라고는 할 수 없지만, 당장 내 앞에 당면한 카드빚과 집세를 깨끗하게 해결할 수 있을 정도의 금액이 통장에 버젓이 찍혀 있었다.

액수를 확인하고 나서, 당연한 얘기지만 나는 입금자 명을 확인했다.

아무리 눈을 씻고 봐도 내가 아는 그 이름이었다.

한이현.

원장님의 이름이었다.

분명 원장님의 실명이 버젓이 찍힌 통장, 그리고 내가 예상하지 못했던 큰 액수의 돈. 대체 이게 뭘 의미하는 건가?

혹, 내 상황을 알고 몇 달치의 월급을 가불하는 센스를 발휘한 것인지도 모르겠다는 생각이 들자 조금은 마음이 홀가분해졌다. 그러나, 정말 그런 거라면 이렇게 아무런 설명없이 몇백만원이라는 돈을 입금하지는 않을 거라는 생각이 들었다. 어떤 식으로든 뭔가 알아챌 수 있을 만한 힌트 정도는 줘야 하는 게 아닌가?

더구나, 오늘은 일요일이다.

동현이를 보고 싶었지만, 그애를 데려간 전남편의 노림수가 훤히 보였다. 동현이를 미끼로 나를 다시 집으로 끌어들일 작정이었다. 하지만 이제는 속지 않는다. 세상에는 힘없고 약한 존재를 짓밟지 않고는 견디지 못하는 족속들이 존재하고, 그 족속들 가운데 전남편이 있다. 동현이 때문에 할 수 없이 그 집구석에 기어들어 갔다가는, 죽어서 시체가 되어 나오리라는 것을 나는 불보듯 뻔히 알고 있었다.

그 문제로 터질 것 같은 머리를 싸쥐고 있는데, 이토록 황당한 일이 벌어진 것이다.

순간, 원장님이 나의 전화 통화를 엿들었다는 사실을 떠올렸다.

카드 독촉 그리고 또 뭐더라……그래, 동현이를 보내라는 시어머니의 역정 섞인 고함 소리, 그리고 나는 그 두 전화가 걸려왔을 때 각각 뭐라고 말했더라……

-다음 달까지만 봐 주시면 안될까요?

-그때까지는 꼭 입금하겠습니다.

그 한마디만으로도, 상대가 치과 원장님이건 누구건 간에 내가 빚독촉에 시달리는 빚쟁이라는 사실을 파악하는 데는 아무런 문제가 없다.

-동현이는 제가 키울 거예요. 그만 끊겠습니다.

내 아들의 이름이 동현이라는 것과, 현재의 남편과 이혼 혹은 별거중이라는 것도 이 몇 마디로 충분히 설명이 된다. 물론, 그가 일부러 내 전화 통화를 엿듣기 위해 그 기둥 뒤에 서 있었을 리는 없다. 그 기둥 뒤로 이어지는 기계실이 다름아닌 비공식 흡연구역이었다는 사실을 내가 미처 알지 못했다는 게 화근이었던 것이다.

묘한 굴욕감이 느껴졌다. 굴욕감은 곧 분노로 변했다. 그러나 분노는, 무슨 이유에서인지 점차적으로 약해져 갔다.

물론, 이 돈을 원장님께 돌려드려야 한다는 건 절대 변할 수 없는 사실이다.

그러나 꼭, 당장이어야 할 필요가 있을까?

어디까지나 선의일 것이다. 혹은, 내가 알지 못하는 다른 착오가 있었을지도 모른다. 다른 누군가에게 입금하려던 돈을 실수로 내 계좌에 입금했다거나.

어떤 의도로 입금했든, 이 돈은 이미 내 계좌에 들어와 있는 돈이다.

오늘도 여지없이 걸려오는 카드빚 독촉 전화를 떠올리고 나니 숨이 가빠져 왔다. 더는 참을 수가 없었다. 일단은 살고 봐야겠다고 생각했다. 정신을 차렸을 때, 나는 뭔가에 홀린 사람처럼 통장을 들고 ATM 기기를 향해 발을 옮기고 있었다. 내 목을 죄어오는 카드 회사에 밀린 카드빚을 입금하기 위해서.

2015년 10월 ( )일

차라리 내가 미친 거였으면 좋겠다는 생각마저 들었다. 하지만, 아무리 생각해봐도 나는, 엄마인 주제에 하나뿐인 아들을 내 곁에서 떠나보내고도 멀쩡한 정신을 유지하고 있는 여편네였다.

마음 같아서는, 당장 이 치과 청소부 일을 그만두고 싶었다. 하지만, 뜻밖의 족쇄가 내 발목을 움켜잡았다. 그것도 상상을 초월하는 형태로 말이다.

오늘 오후 퇴근하기 전 실장을 찾아가 오후의 치기구 세척을 이달 말까지만 하겠다고 통보했던 게 화근이라면 화근이고 발단이라면 발단이었다고 하자.

"혹시 오후에 다른 일 구하신 거예요?"

악의는 없는 그러나 약간은 뜨악해하는 표정으로 실장이 그렇게 물어왔다.

"오후까지 일하려니 피곤해서 그래요. 체력이 저질이라."

"그러시구나. 알겠습니다. 제가 원장님께 말씀드릴게요."

"실장님, 저기……"

"네?"

한원장님의 계좌번호를 알려달라는 질문이 목구멍에서 딱 걸려 버렸다. 직감적으로, 그 질문을 실장에게 해서는 안 된다는 걸 깨달았다. 대신, 나는 이렇게 말했다.

"제가, 한원장님께 직접 말씀드리면 안 될까요? 내일 아침에."

2015년 10월 ( )일

실장에게 오후 일을 그만두겠다고 통보한 후 며칠이 지난 오늘 아침, 마침내 나는 한원장님의 방을 찾았다. 그는 내가 올 줄을 진작에 알고 있었던 듯 침착한 표정으로 티테이블을 사이에 두고 나와 마주앉았다. 그의 얼굴이 꽤나 가까이에 있었지만 나는 그의 얼굴을 똑바로 쳐다볼 수 없었다.

"오후 일은 이달까지만 하신다구요?"

"네? 아니, 네. 체력부담이 커서요."

변명을 요구하지도 않았는데, 나도 모르게 변명을 덧붙이고 말았다. 동현이도 없는데 뭐하러 악착같이 돈을 벌어야 하느냐는 질문을 이 사람에게 할 수는 없는 거 아닌가.

"혹시, 아드님 때문에 그러시는 건가요?"

예상치 못한 질문이었다. 선뜻 대답할 수 없었다. 어차피 실장의 말에 따르면, 치과청소부는 몰라도 치기구 세척사라면 어렵지 않게 다시 구할 수 있다고 하는데, 왜 구태여 동현이까지 들먹이는지 알 수 없었다. 그러나 다음 순간, 그가 내게 입금했던 돈이 떠올랐다.

침착해야 했다.

"저, 원장님. 그 돈은……"

"편하게 쓰세요. 그리고 형편 되실 때 돌려주세요."

"아니, 저 그 돈은 제 급여에서 차감……"

"급여하고는 상관없는 겁니다."

"아니, 대체 왜."

원장실의 문이 열리며 가장 나이 어린 치위생사 아가씨가 어지간히도 앳되어 보이는 얼굴을 들이밀었다. 진료를 시작할 시간이었다. 얼른 꽁무니를 빼는 치위생사 아가씨를 따라 원장실 문을 나서며 그는 심드렁한 어조로 말했다.

"제가 왜 그랬을지에 대해서는, 조금 더 생각해 보시는 게 어떻습니까?"

2015년 10월 ( )일

불과 두어 달 전까지만 해도, 나는 카드빚에 허덕이고 있었고, 일곱 살 먹은 떼쟁이 아들의 성화에 시달리고 있었으며, 전남편으로부터 생활비라고는 한 푼도 받지 못한 채 사실상 이혼녀나 다름없는 신세가 되어 있었다.

오늘, 전남편으로부터 문자가 왔다.

동현이를 생각해서라도 돌아올 수 없느냐는 짤막한 문자였다. 나는 답신을 보내지 않았다. 이제는, 그와 함께 하는 삶을 상상하기만 해도 소름이 끼쳤다. 네 신랑이 여자와 차를 타고 돌아다니는 걸 봤다는 목격담이 이어진다 해도, 참을 수는 있다. 생활비를 주지 않는다 해도 아이를 맡기고 내가 나가서 벌면 될 일이지 이혼할 일은 아니다. 하지만, 빗자루에 목을 찍혀 가면서까지 참고 살아야 할 이유는 없다.

죽어야 한다 해도 그런 식으로 죽지는 않을 것이다.

그런데 지금, 코너에 내몰렸던 나는 실로 오랜만에 가까스로 정신적인 균형을 바로잡을 수 있을 정도로 조용해진 일상 속에서 어리둥절해하고 있다. 나는 혼자가 되었다. 그러나 혼자가 되었다는 사실이 이토록 홀가분하게 받아들여질 수 있다는 게 놀라웠다.

단지, 단지 내가 낳은 아이 하나가 내 곁을 떠나버렸을 뿐인데.

정을 떼느라 그랬던 걸까. 그렇게 어이없이 떠나가기에 앞서, 그토록 생떼를 쓰고 울며 보채던 아이, 일을 마치고 허겁지겁 집에 들어가 보면 TV를 틀어 놓고 멍하니 있거나(친정집에서 가져온 낡은 TV에 적지 않은 돈을 들여 유선방송을 설치했었다) 먹고 남은 과자 부스러기 옆에서 쪼그리고 자던 아이.

처음부터 데리고 나오려던 게 잘못이었다는 걸, 요즘 들어 부쩍 느끼고 있다.

하지만, 도대체 이게 얼마만에 찾은 자유인가. 그 빌어먹을 카드빚 독촉전화가 더 이상 걸려오지 않는다는 사실에 안도하며 거리를 걸어다니는 동안, 나의 마음에 깃든 것은 아들과 헤어졌다는 이별의 슬픔이 아니라, 무거운 짐을 벗어던졌다는 해방감이었다. 오히려 동현이를 그런 식으로 보내버린 친정어머니가 고마운 생각마저 들었다.

그러다가, 문득 의붓아버지가 떠올랐다.

어느 시기가 되면 반드시 또 나를 찾을 것이다. 이사를 해야겠다는 생각이 들지만, 당장은 이사를 할 곳이 마땅치 않다. 일단 비밀번호부터 바꾸고 당분간 낮이든 밤이든 집에 머물러 있지 말아야겠다고 생각했다. 어서 다른 일자리를 구해서, 원장님으로부터 빌린 (빌렸다고 생각하자) 돈을 갚는 게 급선무라고 생각한다.

2015년 10월 ( )일

지난 며칠 동안 일어났던 일을 생각하니, 가만히 있어도 떨리는 가슴을 부여잡고 싶은 충동을 억누르지 못한다. 밤에도 마찬가지다. 아무리 가만히 있으려 해도, 나도 모르게 일어서서 방 안을 서성거리게 된다.

시작은, 전남편이 느닷없이 보낸 돈이었다. 무슨 목적으로 보냈는지는 알 수 없지만(아직은 이혼수속이 완전히 마무리되지 않은 상태다), 원장님으로부터 받은 돈을 되갚기에는 충분한 돈이었다. 마침 일이 바쁘지 않았던 오후, 나는 점심시간을 틈타 일찍 출근한 나는 한 원장님의 원장실 문을 두드렸다.

나를 본 원장님이 언뜻 눈살을 찌푸리는 것을 놓치지 못하고 봐 버렸다. 순간 몸이 움츠러들었지만 어쨌든 내 용건은 분명했다. 어쩌면 여길 그만둬야 할지도 모르겠다는 생각마저 들었지만, 그 정도는 충분히 각오가 되어 있었다. 무슨 대기업 고액연봉입원도 아니고 고작 치과청소부 주제에.

"어쩐 일이십니까?"

"저, 계좌번호……"

"네?"

"원장님 계좌번호 불러주세요."

"제 계좌번호를 왜요?"

"지난 번에 빌려주신 돈, 돌려드릴……"

"돈을 빌려드려요?"

한이현 원장의 표정이 순간 심하게 일그러졌다. 화가 난 기색이 역력했다. 나도 모르게 겁에 질린 표정을 보여 버렸다고 생각한다. 그때 다시 문이 열리고 치위생사 아가씨 중 하나가 고개를 들이밀었다. 나를 지나쳐 원장실을 나가며 한원장이(이제부터는 원장님이 아닌 한원장이라 부를 것이다) 말했다.

"오늘, 퇴근하시기 전에 저 좀 뵙죠."

그래서, 나는 남았다. 물론 직원들과 나의 퇴근 시간은 어슷비슷했고, 내가 좀 더 늦게까지 남아 있는다 해서 문제삼을 사람은 아무도 없었다. 직원들이 다 돌아간 후, 늦게까지 남아 있던 부원장도 나를 흘끔 쳐다보더니 말없이 가 버렸다.

한원장은 나를 손짓해 로비로 부른 후 손님용 의자에 앉았다. 그리고는 손짓으로 내게 맞은편 의자를 권했다. 그제서야 그가 요구하는 것이 무엇인지를 어렴풋이 짐작할 수 있었다. 가슴이 떨려왔다.

"그걸 빌려드린 거라고 생각하신 겁니까?"

"그냥 주셨을 리는 없으니까요."

"그냥 드린 건 물론 아닙니다."

그러면 뭘 원하시는 거냐는 말이 입 밖으로 나올 뻔했지만 겨우 참았다.

정신을 차리고 보니, 어느 새 한원장의 차 안이었다. 유리는 선팅이 되어 있어 밖에서는 전혀 안이 들여다보이지 않는 차였다. 하지만 반대로 안에서는 밖이 다 보였다. 조수석 대신 뒷좌석에 타는 나를 한원장은 그냥

내버려두었다. 누가 됐든 간에 그 자리는 어쨌든 내가
탈 자리는 아니었던 것이다.

"자본주의 사회에서는 말이죠."

어쩐지 묘하게 유쾌하게 보이는 손놀림으로 핸들을 돌
리며 한원장이 말했다.

"돈으로 뭐든 할 수 있습니다."

"뭐든 할 수 있는 건 아니라고 생각합니다만."

"아뇨. 뭐든 할 수 있어요."

그래서 여자를 돈으로 산 거냐고, 그게 너냐고 묻고
싶었지만 잠자코 있었다. 이 상황에서 내가 할 말은 아
니었다. 적어도 이 차에 올라탄 이상은 말이다. 잠시 후
나는 내가 해야 할 질문을 가까스로 찾아냈다.

"예를 들면, 어떤 일을 할 수 있을까요?"

의외로 한원장은 뜸들이지 않고 대답했다.

"거래를 할 수 있죠."

"거래요?"

"네. 모든 종류의 거래를 할 수 있습니다."

"하지만 이건……"

"최소한, 범죄는 아니죠. 만약 제가 범죄를 저지른다
해도."

차가 갑자기 멈춰섰다. 신호를 받은 것이다. 주위는 한
적했고 괴괴했지만, 드문드문 보이는 모텔 간판들의 휘
황찬란한 불빛이 눈에 들어왔다. 대충 어떤 곳으로 나
를 데려왔는지 알 것 같았다.

"돈이 있는 한, 범죄라는 건 성립될 수 없습니다. 모든 걸 합법화해주니까요. 실로 고마운 존재죠. "

"사랑도 살 수 있으신 거죠."

"물론이죠."

"하지만 마음까지 사실 순 없을 텐데요."

뱉어놓고 나니, 아무리 생각해봐도 싸구려 드라마의 대사 한 토막 같은 역겨운 멘트라는 생각이 들었다. 대체 왜 내가 이런 싸구려 드라마 대사 따위를 읊어가며 이 자리에 있어야 하는지 알 수 없었다.

아니, 사실은 알고 있다. 내가 이 자리에 있는 이유를.

2015년 10월 ( )일

도저히 더 이어 쓸 자신이 없어서, 어제 쓰던 일기를 도중에 중단했었다. 하지만, 어차피 오늘은 쉬기로 한 날이니까, 괴롭지만 어제 쓰던 그 얘기를 마저 써야겠다. 그래야 한다는 생각이 든다. 아무리 괴롭더라도.

돈으로 사람의 마음까지 살 수는 없지 않느냐는 내 질문에 대한 한원장의 대답은 충격적이고도 명쾌했다.

"마음이 왜 필요합니까? 저는 그런 거 필요 없어요."

"네?"

그의 대답에 충격을 받아서 그런 건지는 모르겠지만, 나를 끌고 모텔로 들어온 그를 따라 엘리베이터를 타고 몇 층인지 모를 층에서 내려 (무인모텔이었는지 데스크

접수 따위는 없었다) 곧장 알지도 못할 어느 방으로 들어간 후에도 나는 그저 아무 말도 하지 못했다.

내가 의도했던 것도 아닌데, 내가 원하지도 않았는데, 어느 누구도 내게 폭력을 휘두르지 않았는데, 라고 생각한 순간 카드사의 빚독촉 전화가 떠올랐다. 아, 돈.

돈만 있으면 뭐든 살 수 있지만, 돈이 없을 때는 뭐든 팔 수 있다. 팔아야 한다.

하지만 애당초 내가 내 의지로 계획했던 건 아무것도 없었다. 그저, 그저 당면한 현실에서 이끌려 온 결과가 결국 이 꼴인 거다.

"신경쓰지 마세요. 신경쓰실 건 아무것도 없습니다."

내 브래지어를 끌어내리며 그가 말했다.

"전 원장님께 그 돈을 달라고 한 적이 없어요."

"알고 있습니다. 제가 드린 겁니다."

내 몸 속으로 자신의 것을 깊숙이 쑤셔넣으며 그가 말했다.

"아마, 왜 다른 사람이 아닌 나냐고 묻고 싶으시겠죠?"

그런 질문은 하도 많이 들어서 이젠 지겹다는 투로 그가 말했다.

"대답은 간단합니다. 제 취향이니까요. 아주 분위기 있는 마스크를 가지셨어요. 그리고 그 연약해 보이는 호리호리한 허리선도요. 헐렁한 티셔츠로 감추셔도 제 눈에는 보입니다."

그 후에 일어난 일련의 일들에 대해서는, 물론 더 이상 설명할 필요가 없다.

하지만, 이런 상황에서 그가 나를 부드럽게 안을 거라고는 기대도 하지 않았지만, 그는 내가 예상했던 것 이상으로 난폭했다. 그것도 그 자신이 상당히 많은 자제력을 발휘하고 있음을 충분히 느낄 수 있을 정도로 억제된 난폭함을 보여주었다. 보기에는 그렇게 힘이 셀 것 같지 않은 사람이 내 가슴을 움켜쥐는 악력이 어찌나 센지 하마터면 몇 번이나 비명을 지를 뻔했다. 황홀해서 내는 신음이 아닌 진짜로 아파서 내지르는 비명 말이다.

몇 번이나 입을 틀어막히고, 몇 번이나 엎어진 자세로 온몸을 짓눌리고, 몇 번이나 머리채를 휘어잡히고, 몇 번이나 벽에 밀어붙여졌지만 찍소리도 하지 못했다. 이건 거의 성폭행이나 다름없는 수준이라고 생각하다가, 차라리 강간을 당하는 거라고 생각하니 그만 마음이 편해져 버렸다. 매춘이라고 생각했다면, 견디지 못했을지도 모르겠다. 마침내 모든 것이 끝났을 때, 내게 일어나 옷을 입을 기운 따위는 남아 있지 않았다.

"수고하셨습니다."

그 자신도 꽤나 진을 뺐는지 먼저 몸을 일으킨 한원장이 그렇게 말했을 때, 한순간 내 귀를 의심했다.

"뭐라고요?"

"수고하셨다고요."

어이가 없었다. 말이 안 나왔다. 그러니까 이 사람에게는, 성 상납도 당연한 업무의 연장이란 말인가?

"제가 수고를 한 거군요."

"힘들게 해 드린 건 죄송합니다."

목이 말랐지만 물을 마시러 일어날 힘도 없었다.

"전 일을 한 게 아닌데, 제가 뭘 수고한 건지 알 수가 없네요."

"같이 즐기셨다니 다행입니다."

"그런 뜻이 아니라요."

어느 새 옷을 다 입은 한원장이 내 앞으로 다가오더니 내 얼굴을 뚫어져라 쳐다보며 되물었다.

"많이 힘드십니까?"

"물 좀 주세요."

다 쉬어버린 목소리로 내가 말했다.

일어날 수가 없었다.

"천천히 쉬다 나오셔도 됩니다. 원하시는 시간에 맞춰 택시 불러드리겠습니다."

"원장님, 저는……"

"말씀드렸다시피."

귀찮다는 듯 손으로 내 말을 자르며 한원장이 물컵을 내밀었다.

"이건 거래입니다. 범죄가 아니고요. 선생님 말씀대로 선생님이 돈을 요구하신 것도 아닙니다. 그러니까 선생님은 꽃뱀이 아니시죠. 뭐, 채무 관계를 원하신다면 그것도 괜찮습니다. 그런 걸로 해 두죠. 어쨌든, 아무 신경 안 쓰셔도 됩니다. 전 선생님을 가지기 위해 제가 아는 상식에 입각한 가장 타당한 선에서 가장 합리적인 방법을 찾은 것뿐입니다."

무슨 회의 따위에 참석한 사람이 하는 듯한 사무적인 말투에 나도 모르게 그만 실소가 나왔다.

"이제 그만 계좌번호 불러주세요."

"싫습니다."

나도 모르게 숨을 들이켰다.

"도대체 앞으로 어떡하실 작정이세요?"

"돈이 더 필요하시면 말씀하시죠? 아니, 제가 원할 때 언제든 입금해드리면 되겠죠."

이제 보니, 이 사람은 나를 강제로 고급 창녀로 만들려 하고 있었다. 그것도 오로지 자신만을 위한.

"아, 한 가지 궁금한 게 있는데, 남편분은 어떻게 된 겁니까? 결혼을 아예 안 하신 건가요? 아니면 별거? 아니면 사별?"

"별거중이에요. 이혼 소송 중이고요."

그 따위 시답잖은 질문에 답하고 싶은 마음은 추호도 없었지만, 일단 질문이 나온 이상 답은 신속 정확할 필요가 있었다. 한원장이 준 돈이 아니었다면, 변호사를 찾아가 상담을 받고 소송을 한다는 건 꿈도 꾸지 못했을 터였다. 그러나 결국 그 소송 비용이 결정적인 덫이 되고 만 셈이다.

그로부터 정확히 이틀이 지난 후, 이번에는 문자가 왔다. 사람들이 거의 쓰지 않는 최신 프로그램의 메신저 앱에 한원장의 메시지가 도착했다. 퇴근하고 지하 3층으로 내려오라는 메시지였다.

두 번째는, 그래도 자기가 생각해도 처음에는 좀 너무 했다고 느꼈는지 그렇게 난폭하게 굴지 않았다. 하지만 중간중간 그 어쩔 수 없이 거친 손놀림에 몇 번이나 비명을 질러야 했다. 이렇게 일어났던 일을 천천히 되짚어 쓰고 있자니, 오히려 어제 이 일기를 쓰기 시작하면서 느꼈던 혼란과 두려움이 약간은 가시는 것을 느낀다. 아니면, 내가 벌써 이 강제적인 거래에 익숙해져 버렸거나.

그러나 벌써? 며칠이 지났다고 벌써 익숙해진단 말인가?

이런 건 익숙해져서는 안 되는 일이다. 이런 게 익숙해지기 시작하는 순간, 나는 정말 속절없이 나락으로 떨어지고 만다. 어떻게든 끝내야 했다. 무슨 일이 있어도.

2015년 11월 ( )일

날씨가 갑자기 추워졌다. 치과는 하루하루 별탈없이 조용한 나날이 계속되고 있다. 한원장은 오후의 치기구 세척을 대신할 새로운 치기구세척사를 구했다. 나는 다시 말없이 혼자 병원 청소를 끝내고 오전 중에 조용히 퇴근하는 치과청소부로 돌아왔다.

아니, 완전히 돌아온 건 아니다.

다행히 11월에 접어든 후, 한원장은 그 자신의 바쁜 일정 탓인지 아니면 바쁜 업무 탓인지는 몰라도, 더 이상 내게 연락해 오지 않고 있다. 남편 역시 돈을 부친 이후로는 이렇다 할 연락이 없다. 아마 지금쯤은 변호사가 보낸 이혼 서류를 받았을 게 분명한데도.

아마 순순히 이혼을 해줄 생각이 없는 것 같기도 했다. 속셈은 뻔하다. 나와 이혼하고 지금 만나는 여자와 재혼하려면 할 수도 있겠지만, 아마도 상당히 모양새가 빠질 터인데다 자기 아이의 엄마인 나를 버리는 데 따른 양심의 가책도 있을 터였다. 지금으로서는 그 자신을 방해하는 것이 아무것도 없겠지만(동현이는 시어머니에게 맡겼을 것이 보나마나 뻔하고), 내게 돈을 전혀 주지 않으면 유책 사유가 되어 나중에 법정에서 유책 문제가 불거졌을 때 자신에게 불리하게 작용할 터이니, 자신의 유책 사유를 면할 정도의 액수만을 입금했을 것이다.

오후 일을 그만둔 이후로는, 오후 일을 할 때 입었던 유니폼을 입지 않은 채 내가 가지고 온 사복 차림으로만 일을 했다. 치과가 진료를 시작하기 전에 모든 일이 다 끝마쳐지기 때문에 가능했다. 그러나 오늘 아침, 소독실 싱크대 안에 있던 내 유니폼을 세탁해 다시 창고에 갖다둘 요량으로 꺼냈을 때 발 아래 뭔가가 툭 하고 떨어졌다.

수술용 외과가위였다. 길고 날렵하고 앞부분이 독수리의 부리마냥 날카롭게 꺾어진 그 가위였다. 내 의붓아버지를 위협하는 데 쓰였던, 그래서 강간당하는 것을 막았던 바로 그 가위가 그 유니폼 안에 들어 있었다. 어쩐지 그 가위를 가지고 있으면 안심이 되는 것 같아서 한동안 지니고 다녔지만, 결국 내 것이 아니다 보니 다시 치과에 갖다놓아야겠다고 생각하고 다시 가져와 유니폼 안에 넣어뒀던 것이다.

사실은 그 가위를 사고 싶었다.

하지만 아무리 의료용품 사이트를 검색해봐도, 그것과 똑같은 가위는 나오지 않았다. 아마 특수기구로 분류되어 일반적인 온라인 네트워크를 통해 판매하지 않는 그런 가위인 모양이었다. 결국 나는 가방에 그 가위를 쑤셔넣었다. 어차피 그 가위를 사용해 나 자신을 부당한 폭력으로부터 지킨 이상, 그 가위는 분명 나만의 호신용 가위였다. 치과의 기물을 빼돌려서는 안 된다는 그런 류의 규칙 위반에 대한 양심적 가책은 손톱만큼도 없었다. 그들이 나로 인해 챙기는 금전적 이득은 분명 그 가위 하나 가격을 상쇄하고도 남아돌 만큼의 이득일 테니까.

2015년 11월 ( )일

한원장으로부터 다시 호출 메시지가 떴을 때, 되도록이면 빨리 이 일을 그만둬야 한다는 사실을 깨달았다. 그러나 그와 동시에, 한원장이 그렇게 쉽게 나를 놓아

주지 않으리라는 직감 또한 확연하게 머리를 스쳐 지나
갔다.

"드릴 말씀이 있어요."

모텔 엘리베이터를 타고 올라가면서 나는 한원장에게
말했다.

"뭡니까?"

"수술용 가위 하나를 훔쳤어요. 제가요."

어설픈 도둑의 자발적인 자수를 들은 한원장은 오히려
우습다는 표정을 지었다.

"알겠습니다."

"절도 혐의로 해고하셔야겠어요."

"자수하셨으니까, 정상 참작을 해서 해고는 하지 않겠
습니다."

"이건 농담이 아니고, 제가."

"필요하시니까 가져가셨을 테죠. 쉽게 구할 수 있는
게 아니니까, 어디 가서 사실 수도 없으셨을 거구요. 이
해합니다."

평소에는 이토록 사무적이고 젠틀한 사람이 어째서 침
대에 들면 그토록 잔인해지는지 도무지 알 수가 없었다.
에로틱하고 야한 신음과 애무가 아니라, 비명과 애원
과 손찌검과 거친 숨소리가 난무하는 폭력적인 섹스가
시작되었다. 그냥 격렬했으면 좋았겠지만, 그것은 격렬
한 정도를 넘어서도 한참 넘어섰다. 그 악력을 이기지
못해 빠져나오려다가 번번히 붙들려 끌려들어가면서도
안간힘을 쓰는 나를 제압하는 그 과정을 한원장은 즐기

는 것처럼 보였다. 마침내 벽에 붙은 침대의 벽 쪽으로 나를 밀어붙이고 뒤에서 나를 껴안은 그는 숨을 헐떡이며 내게 말했다.

"잘 들어. 넌 내 걸레고, 넌 내 암캐야. 알았어?"

이 인간이 미쳐도 단단히 미쳐 돌아가는구나 싶었다. 아니 처음부터 정상이 아니었던 거다. 보기에만 그럴듯하게 보이는 반듯한 엘리트였을 뿐이다. 그건 그렇고 이렇게 목쉰 소리로 오르가즘 때문에 정신이 나가서는 한다는 소리가 뭐? 내가 뭐라고?

"자, 대답해 봐. 네가 나의 뭐라고?"

"대답 못해요."

"응?"

"싫다구요. 그런 거 시키지 마세요."

다음 순간, 그가 나를 바닥에 팽개치고 밟아 버릴지도 모른다는 두려움이 한순간 고개를 쳐들었지만 그것은 기우였다. 그는 그럴 정신도 없이 숨가쁘게 내 목에 팔을 두르며 귀에 입을 갖다댔다.

"그러지 말고 대답해 줘. 제발. 넌 나의 걸레고 쓰레받기고 암캐라니까."

"싫어요!"

"제발 부탁이야. 그래, 그러면 내가 너의 수캐가 되면 되잖아. 응? 나도 네 빗자루가 되고, 네 마당쇠가 될 수 있어. 네가 원한다면 나도 말해 줄게. 그러니까 너부터 해. 자, 대답해 봐. 이젠 할 수 있겠지. 네가 나의 뭐라고?"

처음에는 분노가 치밀었다. 강제로 돈을 떠맡겨 창녀로 만들고 강간도 화간도 아닌 그 의미가 어정쩡한 성폭행의 피해자가 되기를 강요당하더니 이제는 별 지랄을 다한다 싶었다. 그러나, 잠깐만. 생각해 보니 이 인간의 입에서 내가 여태껏 들어 본 적이 없는 말이 나왔다. 다름아닌, 제발 부탁이야, 라는 말.

"제발 부탁이라고요?"

"응, 제발 부탁해."

"다시 한 번 말해봐요."

"제발 부탁해."

"한번 더."

"제발 부탁해."

"또 한 번 더."

"제발 부탁해."

순간, 잠깐이지만 자본주의와의 투쟁에서 승리했다는 기분이 들었다.

돈과 권력을 가진 남성이, 사회의 최하층 계급에 속하는 불가촉천민에서 그다지 벗어나지 않은 영역에 속한 치과청소부에게 '제발 부탁이야'라는 표현을 써 가며 애원하고 있었다. 물론 이것은 어디까지나 그저 플레이일 뿐이지만, 농담으로라도 혹은 설정에 따른 연기로라도 이런 말을 들을 수 있을 거라고는 상상조차 하지 못했다. 좋다. 이쯤 하면 나도 조금쯤은 양보해줄 수 있다. 어차피 강간당하는 주제에 '넌 나의 여왕'이니 '나의 공주'니 '사랑해'니 하는 말을 들어본다 한들 그게 별

의미 없는 건 나도 아니까. 이렇게 하찮은 치과청소부
의 몸을 도구로 삼아 욕정을 풀며 일상의 스트레스를
해소하는 불쌍한 치과의사에게 베풀 자비 정도는 내게
도 있다.

"그럼, 다시 말해봐요. 내가 당신의 뭐라고요?"

"넌 내 쓰레받기고."

"난 당신의 쓰레받기고."

"넌 내 걸레고."

"난 당신의 걸레예요."

"내 암캐야."

"당신의 암캐예요."

몸을 부르르 떤 한원장이 거친 숨소리를 몰아쉬며 무
너져내렸다.

2015년 11월 ( )일

백화점이라는 곳을 몇 번 가본 적은 있지만, 한번도
그 곳에서 뭔가를 샀던 기억은 없다. 어쩌면 당연했다.
내 인생에서 궁핍함이, 빈곤이 나를 떠났던 적은 단 한
번도 없었다.

하지만 오늘, 버스를 타고 이웃한 S시로 나간 나는 역
근처에 새로 생긴 H백화점의 명품관으로 향했다. 그 곳
에서, 근사한 가방을 샀다. 썩 마음에 드는 가방은 아니

었지만, 어차피 가방이라는 걸 갖고 싶어서 간 것은 아니었다.

지금까지 한 번도 가져본 적이 없는 명품 브랜드의 비싼 가방이었다.

체크 카드로 돈을 결제한 시점에서 확연히 달라지는 점원의 정중한 태도를 느끼며 마침내 가방을 받아드는 내 손이 덜덜 떨려왔다. 마치 도둑질이라도 하는 느낌이었다. 하지만 카드에서는 돈이 빠져나갔고, 나는 가방을 손에 쥐었다.

누군가가 빼앗아가기라도 할세라 가방이 든 하얀 상자를 꼭 끌어안고 미친 듯이 빠른 걸음으로 백화점을 뛰쳐나왔다. 그리고는 누군가가 그 가방을 빼앗으려고 뛰어오기라도 하는 것처럼 택시 승강장을 향해 뛰었다. 그리고는 택시를 잡아타고 정신없이 집으로 돌아왔다.

집에 도착하자마자 그 자리에 주저앉은 나는, 마침내 상자를 열고 그 안에서 하얀 조리파우치 안에 들어있던 그 가방을 꺼내 넋을 놓고 한참 동안을 들여다보았다.

내가 그 백화점에서 사려고 했던 게 정확히 무엇이었는지를 생각했다.

가방, 누구나 부러워할 법한 그 브랜드의 가방, 내가 한원장에게 그가 원하는 걸 해 주지 않았다면 절대로 사지 못했을 그 가방을 앞에 두고, 정작 나는 내가 정말 사고 싶었던 게 무엇이었는지를 몰라 쩔쩔매고 있었다. `

한원장은 분명히 내게 말했다. 돈으로 무엇이든 살 수 있다고.

그의 말은, 어떤 의미에서는 분명히 옳았다.

나는 그에게 아무것도 요구하지 않았지만, 그는 돈으로 자신이 원하는 것을 샀다. 그가 원한 것이 나의 굴욕감이나 자괴감이나 모멸감이 아니었다는 걸 알고 있다. 내게 원한이 있어 나를 능욕하는 것 또한 그의 의도는 아니다. 그런데도, 나는 그가 돈을 주고 내게서 산 것이 꼭 그 자신만의 성적 판타지만은 아니라는 생각이 들었다.

아니, 그가 내게서 산 것은 아무것도 없다.

단지 그는 내게 돈을 떠맡겼고, 나는 그에게 자비를 베풀었다. 섹스가 끝나고 나면, 그는 언제나차럼 젠틀하고 정중한 사람으로 되돌아온다. 고용주와 고용인의 관계에서 아니 주인과 노예라는 관계에서 노예가 느껴야 하는 모독감은, 적어도 그 모텔에서만큼은 없었다고 철저하게 단언할 수 있다. 하지만, 오늘 아침 청소를 마쳤을 때, 치위생사 아가씨가 나를 향해 던졌던 그 무심한 한 마디에 나는 입술을 깨물어야 했다.

"실장님께서 오늘 로비 바닥이 좀 덜 닦인 것 같다고 하셨어요. 그리고 쓰레기 분리수거도 좀 신경써서 제때 버려 주세요."

어그러지는 마음을 감추기 위해, 백화점으로 달려가서, 정확하게 내가 원하는 디자인이었는지 아니었는지도 알 수 없는 가방을, 단지 유명하고 화려하고 비싸다는 이유로 사 들고 나는 택시를 탔다. 신호를 받은 택시가 사거리 앞에서 잠시 멈춰 선 동안, 차창으로 바깥을 내다보던 나는 다리를 저는 한 남자가 절뚝이며 인도를 걷는 것을 발견했다.

비록 다리를 절긴 했지만, 그의 걸음은 빠르고 힘찼다. 어기적어기적 걷는 걸음을 감추기 위해서인지는 몰라도, 그는 최선을 다해 필사적으로 빠르게 힘차게 걷고 있다. 아마도 나는 저 사람만도 못한 존재인지도 몰라. 다시 신호를 받고 출발한 택시를 타고 집으로 돌아오면서 나는 내내 자신이 절름발이가 되어 버렸다는 낭패감을 끝내 지우지 못했다.

내가 사려고 했던 것.

내가 사려고 했던 자존심.

내가 사려고 했던 한 인간으로서의 긍지.

이렇게 비싼 가방을 사면, 그런 것쯤은 사은품처럼 쉽게 딸려올 거라고만 믿었다. 하지만 로드숍에서 파는 2만원짜리 가방과 비교해 딱히 뭐가 더 좋은 건지 알 수 없는 그 가방을 찬찬히 들여다보는 동안에도 '쓰레기 분리수거도 좀 신경 써주세요'라는 말은 내 뇌리에 들러붙어 떨어질 기미가 없다.

반대로, 내가 한원장에게 베풀었던 자비를, 한원장은 결코 자비라고 생각하지 않을 것이다. 내가 그에게 팔아버린 것들을 하나하나 떠올려본다. 그 말할 수 없는 굴욕감을, 그 말할 수 없는 치욕감을 떠올린다. 문득, 내가 당신들과 동등한 인간이라는 증명서, 어디에서도 발급받을 수 없는 그 증명서를 발급받고 싶다는 강한 욕망에 휩싸인다.

하지만 백화점에서는 그런 걸 팔지 않는다.

어째서 나는 당신들과 동등한 인간이 아닌 것인가.

모두가 인간은 동등하다고 말하지만, 그렇게 주장할 수 있는 근거는 어디에도 없다. 그렇게 주장할 수 없는 근거만이 여기저기 널려 있을 뿐이다.

—돈으로 가질 수 없는 건 없습니다.

한원장 당신이 틀렸어. 정말로 당신 말대로 무엇이든 돈으로 살 수 있다면, 내가 산 이 가방에 딸려온 사은 품은 뭔가 다른 것이어야 해. 내가 사려고 했던 건 이런 더러운 기분이 아니야. 적어도 내가 조금쯤은 뭔가 더 나은 인간이 되었다는, 조금쯤은 우쭐해도 좋은 그런 행복한 착각, 그래 착각이라 해도 분명한 우월감이 필요했어. 그런 것들을 사려고 했던 거야. 그래서 저런 명품 브랜드의 가방을 사면, 당신의 여직원들이 보란 듯이 들고 다니던 그런 가방들을 사면 보증서로 '당신의 자존감이 100퍼센트에 도달했습니다'라는 문구가 찍혀 나왔어야 했어.

하지만, 하지만 나는.

하지만, 나는.

하지만

나는.

하지만, 나는 그 가방을 쓰레기통에 처넣어버렸다.

그렇다. 내게 필요했던 건 나의 우월감을 채워줄 가방이 아니었다. 내게 필요했던 건, 더 크고 거대한 쓰레기통이었다. 나의 이 모든 더러움을, 이 모든 구차함을 버릴 수 있는 대용량의 쓰레기통 말이다. 결국 나는 그 비싼 돈을 주고 쓰레기통의 역할조차 할 수 없는 최악의 쓰레기를 사고 만 셈이었다.

뺨을 타고 흘러내리는 눈물이 내 눈물이 아니었으면 좋겠다고 생각했다.

2015년 11월 ( )일

가방을 받아 든 어머니는 아연실색한 눈으로 나를 쳐다보았다. 역시, 도둑질이라도 했느냐는 눈초리였지만 신경써야 할 이유는 손톱만큼도 없었다. H백화점의 로고와 브랜드를 확인한 어머니의 헤벌어진 입을 외면한 채 나는 가시돋친 한 마디를 덧붙였다.

"앞으로는 새아버지가 저 찾아오는 일 없게 해주세요."

새아버지가 몸이 불편해 병원에 입원해 있다는 걸 이미 알고 있었지만, 그래도 어쩔 수 없었다.

어제 저녁, 동현이를 찾아갔었다.

전남편이 회사를 간 시간을 틈타 시댁이 있는 아파트 단지로 들어섰다. 그리고 시댁 문 앞으로 찾아가 문을 열었다. 문은 열리지 않았다. 집이 비어 있나 싶어 잠깐 기다리다가 돌아서는데 뒤에서 누군가가 말을 걸었다.

"혹시, 동현이 엄마?"

뒤돌아보니 내가 알지 못하는 낯선 여자가 서 있었다. 꽤나 평범한 행색을 한 중년의 여자였다. 아무래도 같은 아파트 주민인 듯했다.

"동현이, 어디 갔어요?"

"아이고, 동현이 엄마구먼. 말도 말어. 동현이가 엄마한테 갈 거라고 어찌나 우는지. 아주 할머니가 달래느라 몇날 며칠을 식겁했어. 아직 유치원에서 안 왔을 거야. 동현이 할머니가 유치원 끝나면 바로 미술학원 보내거든."

"어디 다른 데 간 건 아니죠?"

"그건 아니야. 그런데. 저기, 동현이 아빠랑은 아주 헤어진 거야?"

나를 유심히 쳐다보며 '그런데'를 시전하는 그녀의 집요한 눈빛을 본 순간, 더 이상 그녀에게 동현이에 대해 많은 걸 물어서는 안 되겠다는 생각이 들었다. 무슨 이야기를 얼마나 한없이 늘어놓을지 모를 여자였다. 하지만 내가 원하는 건 내 아들을 만나는 것이었다. 이 여자의 일장연설을 경청하는 게 아니라.

언젠가는 이혼을 하게 될 것이다. 변호사에게 다른 건 아무것도 필요없으니 이혼만 하게 해 달라고 못을 박아놓았으니, 이미 되돌아설 길은 없다. 퇴로는 막혔다. 다시 전철을 타고 집으로 돌아오면서 나는 그렇게 내 앞에 놓인 현실을 곱씹고 되씹었다.

내일은, 무슨 일이 있어도 한원장의 치과를 그만두겠다고 실장에게 전달해야겠다고 다짐한다.

2015년 12월 ( )일

올해까지만 일하고 그만두겠다는 의사를 밝히자 실장은 약간 당황한 눈치였다. 아마도 겨울에는 이런 쪽으로 쉽게 사람을 구하지 못하기 때문에 그런 것이리라 생각했다. 물론 그렇다고 해서 봄이 될 때까지 이 일을 계속할 마음은 추호도 없었다.

일단은 원장님께 말씀드리겠다는 실장의 말이 들려오자 순간 통쾌한 기분이 스쳐갔지만 그것도 잠시, 나는 내 앞에 놓인 현실을 떠올리며 암담해지는 기분을 애써 추스려야 했다. 무슨 일이든 해서 먹고 살기야 하겠지만, 동현이는, 그리고 한원장은.

그리고 나는.

나는, 내년이면 서른여덟이 된다.

2015년 12월 ( )일

이렇게 조용해도 되나 싶을 정도로 조용한 날들이 며칠이나 흘러갔다. 혹 실장이 내 의사를 한원장에게 전달하지 않은 게 아닌가 싶었다. 하지만 그랬을 리는 없었다. 실장에게 내 의사를 원장님께 대신 밝혀드렸는지를 물어보고 싶었지만 차마 그럴 엄두가 나지 않았다.

그리고 오늘, 마침내 아침 진료 시작시간 10분을 남겨두고 원장님이 부르신다는 전갈이 날아왔을 때 나는 속으로 올 것이 왔음을 깨달았다. 떨리는 가슴을 부여잡으며 나는 원장실로 들어가 조용히 원장과 마주앉았다. 아무 일도 없었던 사람들처럼, 침착하게.

"올해 말까지만 일하신다구요?"

"네."

비교적 침착하고 평온해 보이는 그의 태도에 속으로 안도하며 나는 대답했다.

"알겠습니다. 그동안 고생하셨습니다. "

내가 느꼈던 그 모든 구차한 모멸감의 총량을 헤아리며 나는 일어섰다. 그러나 원장실을 나가려는 순간, 한원장이 내뱉은 한 마디가 내 살을 얼어붙게 했다.

"기억하시죠? 제가 했던 말."

"네?"

나도 모르게 뒤돌아서서 한원장을 쳐다보았다.

"돈으로 살 수 없는 건 없습니다."

"무슨 뜻이죠?"

"오늘 저녁에 뵙고 다시 얘기하죠."

오늘 저녁.

"오늘 저녁은 곤란해요."

"그러십니까?"

"선약이 있어요."

"알겠습니다."

나는 도망치듯 원장실을 빠져나왔다. 이렇게 된 이상, 올해가 빨리 지나가기만을 기다릴 도리밖에 없었다. 내년 1월부터는 여기 나오지 않을 것이다. 누가 뭐라든 간에 말이다. 이 곳을 벗어나면, 한원장뿐 아니라 다시는 그 누구도 나를 찾지 못하도록 철저하게 종적을 감춰야겠다고 결심했다. 근로계약서 따위는 쓴 적이 없다. 내가 일하러 나오지 않는다 해서 어느 누구도 그걸 법적으로 문제삼지 않는다.

2015년 12월 ( )일

도대체 이 싸움이 언제쯤 끝이 날지 모르겠다.

"일하는 게 그렇게 힘들었어?"

개처럼 나를 엎드려 눕혀 놓고 내 뒤로 달라붙은 한원장이 숨을 헐떡이며 그렇게 물어왔을 때, 나 또한 숨을 헐떡이며 대답해야 했다.

"많이요."

처음에는 그저 육체적으로 고된 일이었다. 그러나 한원장의 돈이 입금된 이후로, 그 일은 하루도 나를 편안한 잠 속으로 빠져들지 못하게 할 만큼 정신적으로 고통스러운 일이 되고 말았다.

돈은 정직하다. 결단코 그만한 대가를 치루게 하고야만다.

쓰레기통에 처넣었다가, 마음을 고쳐먹고 도로 끄집어
내어 친정엄마에게 갖다드린 그 명품 가방을 떠올리며
나는 입술을 꽉 깨물고 아랫배에 힘을 주었다. 이 정도
면 할 만큼 했겠지 라고 생각한 상황에서 그는 별안간
그가 즐기지 않는 정상체위로 나를 올라타고 내 다리를
자신의 어깨 위로 치켜올렸다.

그러나 이번에는, 여느 때처럼 격렬한 피스톤 운동을
시도하는 대신 나를 빤히 내려다보았다. 설마하니 이
상황에서 대화를 나누자는 건가. 내 위로 보이는 한원
장의 머리가 터무니없이 높아 보였다. 마치 하늘에서
나를 내려다보고 있기라도 한 것처럼.

"그럼, 이젠 여기 못 오겠네?"

"안 올 거예요."

"조금쯤은 더 즐겨도 좋잖아?"

"난 즐긴 적 없어요."

"거짓말하지 마. 네 신음소리 들으면 다 알아. 난 그거
정확히 구분하거든. 그래, 처음에는 별로 즐기지 않았지.
하지만 횟수가 거듭되면 될수록 네 신음소리의 톤이 달
라지던 걸?"

"그래서, 이제 할 만큼 하셨다고 생각합니다만."

"음 조금쯤은 더 해도 될 것 같아. 아니, 사실은."

그는 갑자기 내게서 몸을 빼더니 내 다리를 내렸다.
그리고는 내 위로 몸을 구부리더니 두 팔을 내 옆구리
에 집어넣고 내 귓불 아래 목덜미에 자신의 얼굴을 파

묻었다. 평소 그가 보여준 난폭한 행태와는 확연히 다른 태도에 나는 놀랐다.

"많이 아쉽네. 이제는 아침마다 빨랫대에 붙어서서 소공포 펼쳐 널던 날씬하고 분위기 있게 생긴 아줌마를 못 보게 되는 거야?"

"아줌마요?"

"응. 예쁜 아줌마였지. 그 호칭이 기분 나빠? 아가씨는 아니었잖아. 아, 말이 나온 김에 하는 말인데, 사실 난 아가씨는 별로야. 그다지 재미가 없거든. "

"……"

"나도 언제까지나 너한테 돈 줘가면서 이 짓을 하진 못하겠……"

순간 나는 내가 그럴 수 있나 싶을 정도로 완강하게 한원장을 밀쳐내며 그 자리를 박차고 일어섰다.

"나는, 당신한테 그 돈을 달라고 한 적이 없다고요!!!! 그리고 이제 그 대가는 다 치렀어요!!!!"

"그야 그렇지. 그런데 오늘 또 입금했어. "

"뭐라고요?"

"오늘 또 입금했다고. 아, 아직 확인 안해봤나?"

한원장이 내게 들이미는 폰을 보고서야 그가 내게 또 돈을 입금했음을 깨달았다. 지난 번에 입금한 것과 거의 엇비슷한 액수였다. 마치 월급처럼, 그는 내가 일을 하는 대가로 돈을 지불하고 있었다. 하지만, 치과청소부로서의 내가 아닌, 비자발적 매춘부로 전락해 버린 사회적 약자로서의 내게 돈을 지불하고 있었다.

돈, 권력, 학력, 사회적 지위, 평온한 가정, 그런 것들로만 따지자면 나는 엄연히 사회에서 약자에 속한다. 설령 이 모든 일련의 행위들이 비굴하고 구차한 행위들이라고 해도, 이미 일어나고 만 일들에 대해 언제까지나 머리를 쥐어뜯고 있을 만큼 소심한 성격은 아니다. 한원장의 이 지랄 같은 취향도, 그가 이전에 내게 그랬듯 머리를 숙이고 내 자비심에 호소해온다면, 강자를 향한 약자의 호소로 대응해온다면 나는 기꺼이 받아 줄 용의가 있다.

 하지만, 돈이 입금된 것을 확인한 순간, 어찌됐건 나는 다시 자본주의 사회의 비자발적 매춘부로 전락하고 말았다. 한원장은 그것이 그저 '거래'일 뿐이라고 말한다.

 "돈은 내일 돌려드릴게요."

 한참 만에 가까스로 나는 대답했다.

 "원하는 게 섹스라면, 해드릴게요. 대신 제발 돈은 가져가세요."

 "그럴 수는 없지."

 "어째서죠?"

 "세상에 공짜는 없으니까."

 "저를 꼭 돈으로 사실 필요는 없어요."

 "그럼 뭘로 사?"

 "절 사지 마세요. 제가 그냥 드릴게요. 공짜로요."

 "공짜로?"

 "아, 참 공짜는 없다고 하셨죠. 그럼 이렇게 하죠. 제 앞에서 네 발로 기어 주세요. 그러면서 이렇게 말하는 거죠. '제발 널 나한테 줘. 내가 한번만 하게 해 줘.'라고요. 제가 그만 됐다고 할 때까지 언제까지나 그렇게 저한테 애원해보세요."

"아, 그러니까 네가 내게 원하는 건 돈이 아니라."

"돈이 아니라."

"내가 너의 개가 되어주길 원하는 거구나?"

정확하지는 않지만, 비슷하다고 생각한다. 나는 고개를 끄덕였다.

한원장은 가만히 나를 노려보았다. 지금까지 본 적이 없는 눈길이었다. 천천히, 그 입가에 미소가 떠올랐다.

진찰실에서 환자를 진찰하거나, 원장실에서 나를 맞이하던 그 차갑고 단정한 얼굴을 떠올린다. 그 얼굴이 이렇게 추하게 보일 수 있을 거라고는 상상도 하지 못했다. 그런 천하고 추한 미소를 한참이나 입가에 머금고 그는 나를 찬찬히 노려보았다.

그리고 마침내 손을 들어 내 뺨을 있는 힘껏 내리쳤다.

2016년 1월 ( )일

원래대로라면, 나는 애진작에 여기에서 나갔어야 했을 사람이다. 그럼에도 불구하고 오늘도 나는 여느 때와 다름없이 도둑고양이처럼 출근한 후 직원들이 출근하기 전에 청소를 마치고 어김없이 앉아서 소공포를 개키고 익스플로러와 핀셋과 미러로 구성된 기본기구를 포장하는 중이다. 석션 팁을 빠뜨리면 곤란하다. 멸균된 기구를 포장할 때는 귀찮지만 라텍스 장갑을 낀다.

내가 아직도 치과청소부로 일하고 있는 이유는 단 하나다. 지난 달, 이제는 작년이 되어버린 지난 달, 한원장에게 뺨을 얻어맞고 난 다음날 출근한 내게 실장은 적잖이 미안해하는 표정으로 한원장의 의사를 전달했다.

"원장님께서, 다음달 중순까지만 더 해달라고 하시는데, 괜찮으세요?"

아주 무리한 부탁은 아니라고 생각했다. 아마 한두 번 정도는 더 하고 나서야 아쉬운 마음을 뒤로 한 채 나를 놓아줄 요량인 모양이라고 생각했다. 하지만 생각해보니, 그로서도 더 이상 아쉬울 것은 없으리라는 생각이 들었다.

그가 내게 입금했던 돈보다 훨씬 더 적은 액수의 돈을 받고도 그가 원하는 것을 해 줄 여자들이 도처에 널리고 깔렸다.

언젠가 학생 시절에 보았던 한 편의 영화를 떠올린다.

사람을 사랑한 적이 없어 사람을 어떻게 사랑하는지를 모르는 남자가 마음에 드는 여자를 만났을 때 그 여자에게 휘둘렀던 폭력을 떠올린다.

그러고 보면, 한원장의 말대로 그는 자신이 원하는 것을 갖기 위해 그가 할 수 있는 가장 합리적이고 덜 범죄적인 방법을 썼을 뿐이다. 사랑이니 뭐니 하며 여자들을 속여 그녀들의 돈을 갈취하는 사기꾼들과는 분명히 질적으로 다른 사람이라고 생각하고 싶었다.

그러나 뭐가 어찌됐든, 나는 이 정신적인 피로감에서 벗어나고 싶었다. 무엇보다도 한원장으로부터 벗어나고 싶은 마음이 컸다. 그에게서 헤어나오지 못하는 시간이 길어지면 나 자신이 신경쇠약에 걸려 정신병원에 들어갈지도 모른다는 두려움마저 들었다.

꼬리가 길면 밟힌다고도 한다.

한원장과 내 관계가 만에 하나 사람들에게 드러날 경우, 그도 나도 여지없이 끝장이다. 그 점을 그에게 분명히 일러둘 필요가 있었다.

2016년 1월 ( )일

"그런 걱정을 다 하셨어?"

한원장은 웃음을 터뜨리며 내게 그렇게 반문했다.

"사람들한테 들키면 망신당할 거라고?"

"망신도 망신이지만……사회적 매장……그리고 체면……그리고 성매매 혐의로 경찰에 입건……"

"못 살겠네. 이봐. 지금이 어떤 시대인지 알고나 하는 소리야? 돈이 그런 것들을 해결해 주지 못할 거라고 생각해? "

"환자들이 발길을 끊을 걸요."

"못 끊어. 난 Y대 출신의 최연소 치의학박사야. 무소불위의 공신력을 자랑하지. 이 부근에서 우리 학교 간판 달고 일할 수 있는 치과는 그렇게 많지 않아. 오히려 내가 누군지 궁금해서 득달같이 모여들겠지. 물론 그 사람들이 전부 진료를 받진 않겠지만. 아, 이런 얘길 너하고 하고 있다니, 재미지네? "

 나의 질문이 가당찮다는 반응을 보이는 그는 사뭇 유쾌해 보이기까지 했지만, 아마 머릿속으로는 다른 계산을 하고 있지 않을까 싶었다.

 "아, 성매매 혐의 말인데. 그런 걸로 날 걸어넣을 수 없어. 우선 넌 텐프로도 아니고 말이지. 내 와이프는, 지금 미국에 가 있어서 내가 뭘 하든 나한테 간섭할 수 없고. 그리고 이건 어디까지나 거래야. 어떤 의미에서의 거래냐 하면, 내가 네 마음에 드는 상대가 아니라 할지라도, 그리고 내 방식이 너한테 좀 안 맞더라도 참아달라는 의미에서의 거래야. 액수는 좀 과했으려나? 하지만, 그때 분명히 돈이 없어 쩔쩔매고 있었잖아? 지금도 별로 상황이 나아진 것 같지 않은데?"

 분명 자존심이 상했을 거라 생각했는지, 약간 내 눈치를 살피는 기색을 보이며 그는 말을 이었다.

 "너도 나도 이제 애들도 아니고 적지 않은 나이에, 유치하게 사랑하네 뭐하네 하며 이런 걸 즐길 필요는 없는 거잖아. 설마 그런 걸 믿는 건 아니지? "

 "그래서 내 목을 졸라 죽이려고 했어요?"

 한원장의 요구는 점점 더 수위가 높아지고 있었다. 오랄까지는 그래도 참아줄 수 있었다. 그러나 그 후에 이어지는 것들 -거기 말고 후장에 쑤셔넣으면 안 될까, 내 후장 좀 빨아줘, 내 걸레라고 다섯 번만 말해 봐. 걸레에서 쓰레받기로 바꿔서 다섯 번- 은 결국 내가 눈물을 터뜨리며 제발 그만하라고 손까지 싹싹 빌어가며 애원하기 전에는 절대로 벗어날 수가 없는 것들이었다.

"우니까 더 예쁜데?"

그 면상에 어퍼컷을 날려주고 싶었지만, 그래도 목을 조르기 전까지는 어떻게든 조용히 끝내기만 하면 된다고 생각했었다.

"아, 그건 진짜, 실수야. 미안해."

"한번으로 끝날 실수는 아닌 것 같은데요."

"억울하면 너도 내 목 조르면 되잖아."

"같이 죽자는 거죠?"

"설마. 아직 너하고 나, 즐길 시간 많이 남았는데 뭘. 벌써 죽으면 손해막심이지."

"뭐라고요?"

쓰다보니 손이 떨려서 더 이상 쓸 수가 없다. 조용히 해결하기란 아무래도 힘들 것 같다.

가방을 열고, 반들반들하게 윤이 나는 수술용 외과 가위를 꺼내 손에 쥐어 본다.

동현이가 떠난 지금, 인간으로서의 존엄성을 스스로 내던지기로 작정한 지금, 한원장의 말대로 그 자신 사회적 체면이나 위신 따위가 두려울 게 하나도 없다면, 나 또한 두려울 것은 아무것도 없다.

사람들의 시선, 수군거림, 비웃음.

어차피 아무것도 하지 않는다 해도 겪어내야 할 것들이다. 두려워할 이유가 없다. 그런 하찮은 것들쯤이야.

2016년 1월 17일

　결국 해내고 말았다.

　오늘 아침, 결국 나는 내가 하고자 했던 일을 실행에 옮기고 말았다. 그게 다른 어느 누구도 아닌 한원장이 될 거라고는 미처 생각하지 못했지만.

　나 또한 타인에게 폭력을 휘두를 수 있는 사람이라는 것, 내가 지금까지 당했던 그 모든 폭력을 폭력으로 되갚아 줄 수 있는 사람이라는 사실을 이런 식으로 증명했다.

　오늘 아침 여느 때와 다름없이 소공포를 개고 난 나는 (일이 일찍 끝났다) 여느 때보다 더욱 한산한 기운이 감도는 진료실과 로비를 지나쳐 한원장의 원장실로 걸어 들어갔다. 한원장은 나를 보고도 별로 놀라는 기색이 없었다. 내가 문을 닫고 그의 책상 앞에 와 섰을 때야 비로소 끼고 있던 안경을 벗고 정색하며 나를 올려다보았다.

　아마도, 물끄러미 그를 향해 웃어 보였던 것 같다. 그는 웃지 않았지만.

　"언제까지 계속해야 하는지 여쭤보고 싶어서요."

　"아, 그걸 말씀드리는 걸 깜박했네. 그러니까."

　"이 일 말고요."

다시 침묵이 흘렀다. 나는 다시 한번 그가 혼동하지 않도록 부연 설명을 덧붙였다.

"아침에 매일 하는 이 일 말고, 원장님과의 거래 말입니다."

"그건 여기서 대답하기에는 좀 그러네. 언제가 좋을까……."

"이 자리에서 대답해 주세요."

순간 한원장이 재미있다는 표정으로 웃어 보였다. 그리고는 어깨를 한번 으쓱했다. 어느 누가 봐도 유능하고 젠틀한 의사의 모습이었다. 처음 그를 보았을 무렵 혼자 가슴 설레었던 기억이 갑자기 되살아났다. 그 감정이, 이렇게 역겹고 추한 감정으로 변하리라고는 그때는 상상도 하지 못했었다.

그리고 나는 깨달았다. 그가 나를 놓아 줄 생각이 없다는 사실을.

물론 언젠가는 나를 놓아 주겠지만, 당장은 그에게 그럴 의사가 없는 것이다. 나를 사랑해서가 아니다. 거래가 아직 끝나지 않은 것이고, 아직 그는 내게 싫증이 나지 않았다. 무엇보다, 그의 입맛에 맞는 다른 먹이감을 그가 아직 쉽게 찾아내지 못하고 있는 것이다.

나는 입고 있던 유니폼의 주머니에서 수술용 가위를 꺼냈다.

몸신이 길고 날렵하며 앞코가 위험하게 꺾어진 그 가위, 일찍이 단순하고 날씬한 자태로 나를 매혹시켰던 그 가위를, 나는 책상 위에 올려져 있던 한원장의 왼손 손등에 주저없이 내리찍어 버렸다.

짧고 날카로운 비명 소리가 그 좁은 공간을 통째로 날릴 기세로 울려퍼졌다. 의심할 나위 없이, 그것은 한원장의 비명이었다.

부들부들 떨리는 그의 실핏줄이 불거진 흰 손등에서 솟아나는 가는 핏줄기가 눈에 들어왔다. 그리고 나는, 지금까지 내가 잘 알고 있다고 생각해왔지만 실제로는 한번도 잘 알았던 적이 없는 사람들의 팔에 붙들려 원장실을 끌려나왔다. 한원장의 피가 묻은 수술용 외과가위를 한 손에 꼭 잡아쥔 채로.

2부

날조된 현실

2부

날조된 현실

　위로는 닳고 닳은 베테랑급 선배들이 즐비하고, 아래로는 햇병아리마냥 신선하고 풋풋한 후배들이 즐비하다. 그 사이에 샌드위치처럼 낀 나는 이래저래 경찰 짬밥을 먹은지도 어언 12,3년 가량이 되어가는 어정쩡한 강력반 형사들 중 하나다.
　사실, 원래 그 사건은 내 담당이 아니었다.
　인근 야산의 낭떠러지에서 시신으로 발견된 그 여자의 사건을 수사하던 팀은, 그 여자가 혼자 기거하던 원룸에서 그 일기가 씌어진 노트를 찾아냈다. 원룸의 내부는 잡다한 옷가지들이며 책으로 이루어진 잡동사니로 마구 어질러져 있었고, 본래는 노트북이 있었을 것으로 추정되는 책상 위에 남은 것은 어답터가 붙은 전원 연결선과 마우스가 고작이었다.

어쨌든 내 동료들이 수사를 위해 회수해 온 그 노트가 회수되어 온 다음 날, 경찰서 내의 복사기가 전에 없이 바쁘게 돌아가기 시작했다. 너도 나도 그 일기를 읽겠다며 떼거지로 달려든 덕분에 그 일기 즉 <치과청소부의 일기>는 삽시간에 수십권의 복사본을 탄생시켰다.

그렇게 만들어진 수십 권의 복사본을 가져간 사람들 중, 권 기자가 있었다.

권일중 기자는 내 중고등학교 동창이었고, 경찰과 기자라는 각자의 직업 특성상 미친 듯이 바쁠 수 밖에 없는 일상 속에서도 반드시 한 달에 서너 번은 만나서 술을 퍼마셔야 직성이 풀리는 친구 중 하나였다. 물론 술에 취한 상태에서 그 일기의 사본을 건넸을 때는, 권기자놈이 그토록 그 일기에 열렬한 반응을 보이리라고는 미처 생각하지 못했다. 그 노트를 가져간 지 사흘도 되지 않아 녀석은 한참 근무중이던 (근처 저수지에서 난데없이 떠오른 여자 시신 때문에 그쪽으로 출동했을 때였다) 내게 전화를 걸어왔다.

-바쁘냐?

-중요한 일이야?

-그건 아니고. 며칠 내로 나 좀 보자는 말 하려고. 너 시간 될 때.

늘 그렇듯, 서로의 일상이 그다지 겹치지 않는 동선의 와중에 각자가 정신없이 바빴던 관계로 그로부터 1주일

이상의 시간이 지나서야 녀석과 마주앉을 수 있었다. 소주 한 병을 단번에 들이킨 녀석이 꺼낸 얘기는 뜻밖에도 그 일기에 대한 것이었다.

"그러니까, 그 일기가, 얼마 전에 죽은 여자의 방에서 발견된 거란 말이지?"

"응. 야. 사람 미치게 하는 내용 아니냐? 네 생각에는 그거, 진짜일 것 같냐?"

"그러는 넌? 넌 형사잖아? 형사의 직감이라는 게 있을 거잖아. 네 생각은 어때?"

그 복사본은 다시 외부로 유출되었고, 사람들의 입소문을 타고 일파만파로 퍼져나가기 시작했다. 심지어는 매스컴에서도 이 사건을 주시하기 시작했다.

당연한 얘기지만, 사건의 주인공이 시체로 발견된 지금, 그 일기에 적힌 그 치과며 그 한원장이라는 사람의 실체를 찾기 위한 수사가 시작된 것은 당연한 수순이었다. 만약 그녀가 살해된 거라면 경찰로서는 당연히 범인을 찾아야 할 의무가 있었으니 말이다.

그리고 그 결과, 경찰로서는 몹시 당혹스러운 사실이 밝혀졌다.

"권 기자, 이제 보니 그 사건에 흥미가 많구나?"

"흥미 정도가 아니지. 나 그거 꽂혔어. 완전. 아 진짜 그 여자 왜 죽은 거야. 죽지만 않았어도 냉큼 쫓아가서 어떻게 된 일인지를 본인 입으로 직접 듣겠구만."

"이거, 너한테는 어떨지 몰라도, 당사자 입장에서는 즐길 상황이 아니었던 것 같은데?"

어설프게 제본한 <치과청소부의 일기> 사본을 흔들어 보이며 내가 되쏘자 권 기자의 얼굴에 슬쩍 당황스러운 표정이 스쳤다. 그러나 그는 이내 뻔뻔스럽고 교활하고 호기심 많은 기자 본연의 유들유들한 표정을 드러내며 웃어 보였다.

"왜 이래 문 형사. 그런 뜻 아닌 거 알잖아."

"오늘, 그 죽은 여자 신원이 정식 수사 결과로 밝혀졌는데."

"오호, 그런데?"

"전혀 달라."

"뭐가?"

"그 일기에 적힌 내용하고, 전혀 다르다고. 그 일기를 쓴 사람하고 죽은 여자가 같은 사람이 아니란 말이야."

"뭐?"

"말하자면, 일기가 아닌 거지. 아니면 일기라고 해도 그 여자가 쓴 게 아니거나."

"대체 어떻게 된 거야?"

일기에 적힌 내용으로 추정하자면, 그 일기를 쓴 여자는 삼십대 중후반에 아이가 딸린 이혼녀, 아니 남편과 별거중인 사실상 이혼녀라야 했다. 그러나 시신으로 발견된 그 일기의 주인은 사십대 초반의 미혼여성이었다. 학력도 달랐다. 일기에서 스스로를 고졸이라고 밝혔던 여자와는 달리, 그 일기의 주인은 명문대학에서 신문방송학을 전공하고 같은 전공으로 석사학위까지 받은 재원이었다.

"그뿐이 아니야. 이름있는 다큐멘터리 각본까지 써서, 4,5년 전까지만 해도 그쪽 계통에서는 모르는 사람이 없을 정도로 유명한 여자였다고 해. 그런데 무슨 이유에서인지는 몰라도 이삼년 전쯤에 갑자기 일을 그만두고 잠적했대. "

어느 새 얼굴에서 웃음기가 가신 권 기자는 다소 창백해지기까지 한 얼굴로 내 말을 주도면밀하게 경청하고 있었다.

"그리고 일기에 적힌 이름하고도 다른 이름이야."

"그 일기에 이름이 적혀 있었어?"

"아, 사본에는 아마 없을 건데……원본에는……"

"원본에는?"

"정하, 라는 이름이 적혀 있어. 그래서 모두들 의심 없이 죽은 여자 이름이 정하라고 단정짓고 있었거든."

"그런데 정하가 아니었던 거구나."

"응."

"그러면 신원확인된 그 여자 이름은 뭔데?"

"한효정, 인가 그랬어. 내 기억이 맞다면."

"그러면, 역시 일기가 아닌 걸까?"

"아무래도 일기는 아닌 것 같아. 아니면, 누군가 다른 사람이 쓴 일기를 그 여자가 갖고 있었던 거일 수도 있지. 그러니까 정하라는 사람이 쓴 일기를 한효정이 가지고 있다가, 갑자기 살해당한 것일 수도 있고."

그날의 음주 회동에서 나왔던 얘기는 여기까지다.

그리고 그 다음 주, 새로운 수사 결과가 나오면서 우리의 추론은 새로운 국면을 맞게 되었다.

그 주의 주말, 권 기자와 나는 늘 그렇듯 수원역 뒤에 자리잡은 우리의 단골 술집에서 회동을 가졌다. 이번에는 한 사람이 더 끼었다. 권 기자의 신문사 후배인 이성욱 기자였다. 내 중학교 후배이기도 했기에 서슴없이 '성욱이'라고 이름을 부르는 후배였다.

"이 자식한테 그걸 보여 봤는데, 다 읽고 나더니 무조건 문 형사 좀 만나야겠대. 도대체 어떻게 된 건지 궁금해 미치겠다면서."

"나도 지금 이게 어떻게 된 건지 모르겠다."

"뭐야. 새로운 수사 결과가 나왔어?"

"죽은 여자 말이야. 그 일기를 갖고 있던."

"응."

"일기에 나온 거랑 연도가 조금 차이가 나긴 하는데 ……과거에 치과청소부와 치기구세척사로 일했던 전적은 있었던 모양이야. 다큐멘터리 자료를 취재하려고 위장취업을 했던 정황이 나왔어. 증인도 확보했고."

"그러면, 그 일기에 나온 치과하고 원장도 알아낼 수 있는 거네?"

"그게, 아직 거기까지는 수사가 안 됐지만 말이야. 이건 내 생각인데."

"응?"

"일기에 나온 그 치과하고, 그 원장, 쉽게 찾을 수 있을까? 우선 어느 치과인지는 나와 있지도 않고, 치과의

사협회에 연락해서 전국의 치과들을 다 조회해 봤지만 그 중에 한이현이라는 이름을 가진 원장은 단 한 명도 없더라고."

"맙소사."

"우선, 그 죽은 한효정이 일했던 그 병원하고 원장은 일단 수배해서 알아보는 중이야. 한효정의 계좌에 치과 명의로 소액이 몇번 입금된 정황이 있었거든. "

"그러면 그 개자식이 누군지 알아낼 수 있겠네? 한효정을 죽인 그 개자식?"

"권 기자. 제발 설레발 좀 치지 마라, 응?"

나로 말하자면, 이 사건에 대해 조금 화가 나 있었다.

사람들의 입을 떡 벌어지게 만들고 만, 터무니없이 충격적인 내용 탓에 이 선정적인 일기와 그에 연루된 살인사건은 삽시간에 온 동네를 아수라장으로 만들었다. 너나 할것없이 불쌍한 한효정을 죽인 범인이 누구인지를 알아내느라 혈안이 되어 있었지만, 사실은 한효정을 그런 식으로 능욕한 그 치과 의사가 누구인지를 알고 싶어했던 것이다.

그러는 동안, 죽은 자의 프라이버시에 대해서는 그 어느 누구도 신경쓰지 않았다. 가족으로부터 버림받다시피 한 채 온갖 언어폭력에 시달리며 자란 여자, 공부를 잘했음에도 불구하고 당연하다는 듯이 고등학교를 중퇴하는 걸로 학업을 마무리해야 했던 여자. 의붓아버지를 비롯해 갖은 남자들의 성폭력을 피해 일찍 결혼했지만 그마저도 여의치 않아 불행 끝에 아들을 데리고 혼자 살러 나온 여자.

그게 한효정이었는지 정하(성이 분명치 않은)였는지 알 수 없지만, 어쨌든 내가 알지 못하는 한 가련한 여자가 능욕당하는 생생한 기록을 읽으며 나는 나 스스로도 이해할 수 없는 분노를 느껴야 했다. 그것은, 분명히 단순한 싸구려 연민과는 조금 결이 다른 종류의 분노였다. 그 분노를 어떻게 해야 좋을지 알 수 없었지만, 무엇보다도 그 분노가 정확히 어디에서 기인하는 것인지 나 스스로도 갈피를 잡기가 힘들었다.

그래서 몇 번이나 그 일기를 정독했다. 그 결과, 백 프로 정확하다고는 할 수 없지만, 나의 분노를 불러일으키는 지점이 어느 지점인지에 대해서는 대략 감을 잡을 수 있었다.

정하, 혹은 한효정, 어느 쪽인지 모를 그 일기의 주인, 그 일기를 쓴 당사자는 가련한 여자가 아니었다. 영문도 모르고 그 모든 일을 당해야 했던 바보가 아니었다는 뜻이다. 그녀는 자신의 처지, 자신의 사회에서의 위치, 그리고 자신의 현실로 인해 자신이 당해야 했던 일들이 어떤 일들인지를 잘 알고 있었다.

그녀는 그 현실에 분개하고 있었다. 스스로 피해자이기를 거부하고 있었다.

"하기야, 생각해 보니 한효정을 죽인 범인이 꼭 그 치과의사였으리라는 법은 없긴 하네. 그건 확실히 내가 설레발 친 게 맞다. 미안, 문 형사."

미안할 것까지는 없다고 얼렁뚱땅 대답했지만, 권 기자의 얼굴은 이미 머쓱해하는 기색이었다. 아마도 옆에 후배가 있어서였기 때문이었을 것이다. 그때까지 말이 없이 우리의 대화를 듣기만 하던 이성욱이 갑자기 입을 열었다.

"솔직히, 좀 이상하다고 생각하긴 했어요."

"뭐가?

"그 일기 말이에요. 그 일기를 쓴 사람, 고졸이라면서요? 그래서 변변한 직업도 없어서 돈도 못 벌었고, 허드렛일만 전전하면서 미혼모처럼 혼자 애를 키우고. 그런데요. 그런 사람이 쓴 것 치고는 너무 잘 쓰지 않았어요? 이 문장 좀 보세요. 여기두요. 이런 건, 웬만한 대학 교육을 받은 사람도 여간해서 쓰기 힘들 정도예요. 아시다시피 저도 선배도 기자잖아요."

"그야 그렇지. 나도 그건 좀 이상하다고 생각했다."

"죽은 한효정이 다큐멘터리 작가였다고 했죠? 그러면, 이해가 돼요. 왜 이 일기에서는 자신을 고졸로 표현했는지 몰라도, 이건 아마 한효정이 쓴 게 맞을 거예요. 그 여자가 일했던 방송국 관계자들한테 알아봤는데, 글을 무지하게 잘 쓰는 여자였대요."

"그렇지만 이상하잖아."

어느 새 비어 있던 내 잔과 성욱이의 잔에 술을 따르며 권 기자가 고개를 갸웃거렸다.

"모든 게 다르단 말이야. 나이도 학력도 가정환경도. 죽은 한효정은, 노처녀이긴 했지만 친정이 꽤 부자여서 이렇게 성 상납이나 허드렛일을 해야 할 만큼 비참한 환경에 처하지는 않았던 걸로 알고 있어. 게다가 결혼을 약속한 애인도 있었다고 해. 그런 여자가 대체 뭐가 아쉬워서 이런 소설 같은 일기를 썼단 말이야?"

"이게 한효정이 쓴 게 맞긴 맞아요? 다른 이름도 있었다면서요."

"맞아. 노트 뒷면에 정하라는 이름이 적혀 있었다고 했어. "

"그 정하가 진짜 누군가의 이름을 적어놓은 건지도 알 수 없죠. 그리고, 이게 꼭 한효정이 쓴 게 아니라 다른 누군가가 쓴 걸 가지고 있었을 가능성도 배제할 수 없구요."

"그렇지. 그 정하라는 사람이 쓴 일기를 한효정이 맡아 가지고 있었는데, 그 일기를 노린 누군가가 그 일기를 되찾기 위해 한효정을 끌고 가서 죽였다, 그러면 말이 되지?"

그럴 리가 없다. 만약 그렇다면, 그 일기를 적은 노트는 한효정의 죽음과 함께 사라졌어야 마땅했다. 그러나 한효정은 죽었고, 그 노트는 살아남았다. 이 사실이 의미하는 게 뭘까.

한효정을 죽인 범인의 목적은 그 노트가 아니었다는 뜻이다. 만약 노트가 목적이었다면, 죽은 한효정의 집, 그것도 주방 식탁 위에 보란 듯이 올려져 있던 그 노트를 범인이 가져가지 않았을 이유는 아무것도 없다. 노트북이 사라진 걸로 봐서는 아마도 노트북 안에 그 일기가 숨겨져 있으리라고 생각해서 노트북을 가져갔을 수도 있겠다는 생각은 든다.

"여하튼, 일이 이상하게 돌아가고 있네요. "

성욱이는 새로 주문한 소주병의 뚜껑을 땄다.

"분명히 일기인 건 맞는데, 그 일기의 주인은 따로 있다? 저는 그게 한효정이 아닌 다른 사람이 쓴 거라는 생각은 안 들어요. 필적 감정하면 안 돼요?"

"아직 필적 감정 결과까지는 안 나왔어. "

아니, 사실은 거기까지는 아무도 생각을 안했던 거다. 그 일기가, 한효정의 것이 아닌 다른 누군가의 것일지도 모른다는 가능성 말이다.

수사는 '급물살을 탔고', 그 결과 새로운 사실들이 속속 밝혀졌다.

성욱이의 말대로 경찰에서는 그 일기의 필적 감정을 의뢰했고, 그 결과 그 일기를 쓴 당사자가 죽은 한효정 본인이 맞다는 사실이 밝혀졌다. 그 사실이 밝혀지고 나서 이틀 후, 역시나 내 예상대로 눈이 반짝반짝 빛나는 권 기자와 성욱이가 나를 찾아왔다. 그 일기가 한효정 본인의 일기가 맞다는 사실을 알려주자 성욱이의 눈이 더욱 빛났다.

"맞죠? 그렇죠? 제 직감이 맞았다니까요. 그거 한효정이 쓴 거 맞아요."

"하지만."

일이 난처하게 됐다는 표정으로 권 기자가 반문했다.

"그렇게 되면 그 일기에 적힌 내용하고 지금 밝혀진 것들하고 사실관계가 하나도 안 맞잖아. 이게 어떻게 된 거냐 말이야. 아닌 말로, 일기를 쓴 거야 아니면 소설을 쓴 거야? 아니면 친구 얘기를 대신해서 쓰기라도 한 거야?"

도대체 그 일기에 얽힌 사건을 왜들 이렇게 집요하게 캐내려는 건지 알 수가 없다고 생각하면서도, 의욕에 넘쳐 이 사건을 파고들려 하는 이 기자들이 내 눈에는 귀여워 보이기까지 했다. 나도 모르게 피식 웃음이 나왔다.

"문 형사님은 뭐가 웃겨서 그렇게 웃으세요?"

"정확하게, 너네는 이 사건의 어디가 그렇게 흥미진진한 거냐? 니네들 일도 아니고, 엄밀히 따지면 경찰 소관인 일을 니네가 왜 이렇게 집요하게 파고드는지 모르겠다."

"어이 문 형사, 너 그렇게 말하면 상당히 곤란하다? 나 이래봬도 기자야?"

"누가 기자 아니라 했냐? 내 말뜻은, 네가 이렇게까지 다른 사건도 아닌 이 사건에 관심을 갖는 이유가 궁금하단 말이다. 정작으로 일기를 쓴 본인은 죽고, 그 일기가 정확하게 팩트를 담은 건지 어떤지도 알 수 없는 이 판국에."

권 기자는 갑자기 약간 풀이 죽은 표정이 되었다. 잠시 후 그는 담배를 피워물었다. 벌레라도 씹은 듯한 씁쓸한 표정으로 그가 말했다.

"속보이는 소리 좀 해도 되나?"

"아니, 지금 나하고 성욱이 앞에 앉혀 놓고 그런 허락을 구하는 거야?"

"아니 뭐. 하긴, 어차피 솔직하게 까놓고 말하게 만드는 건수니까. 실은 말이야. 나 그 일기 읽은 날, 한숨도 못 자고 밤 꼴딱 샜어. 끔찍하더라구. 야하기도 하고, 읽다 보니 진짜 여자 생각도 좀 나서 괴롭기도 하고 했는데, 다시 몇 번이나 읽으면서 확인해 보니까, 그런 느낌에서 끔찍한 건 아니더란 말이야."

"그러면, 뭔가 다른 의미에서 끔찍했다는 건데?"

"우선 말이야. 다들 그 여자가 꽃뱀이네 뭐네 하고 말들이 많지만, 그 여자는 꽃뱀이 아니야. 그건 확실하지."

"그렇지. "

"돈을 돌려줄 수도 있었는데, 돌려주지 않고 원장놈과 잤다는 거지. 하지만 생각해 봐. 그런 상황해서라면, 누군가로부터 돈을 훔치거나 절도를 해서라도 돈을 갚아야 할 판이야. 그런데 원치도 않는 돈이 덥썩 들어왔다면 나부터 앞뒤 생각 없이 일단 급한 불부터 끄고 봤을 거거든?"

"그게 끔찍하다는 건 아니지?"

"그거 알고 보면 끔찍한 거야. 생각을 해 봐. 그 원장놈은 그 여자한테 그냥 성 상납을 요구했던 거지만, 현실에서 만약 내가 그런 일을 당했고, 그 원장놈이 나보고 네 후장 좀 쑤셔보자고 했다고 하면, 그러면서 나보고 네 놈이 내 쓰레받기고, 내 개죽받이고, 내 걸레네

냄비네 하는 식으로 그런 개수작을 읊어보라고 나한테
주문했다고 하면."

성욱이가 비우던 술잔을 갑자기 내려놓고 손으로 입을
막았다. 본인이 상상해봐도 울렁증이 나는 모양이었다.
그 모습을 본 권 기자가 대뜸 호통을 쳤다.

"야, 너. 지금 무슨 상상한 거야, 응? 이 자식이!"

"아니에요. 그런 거 아니에요. 진짜 아니라구요!"

"아니긴 뭐가 아니야? 이 놈 시키 얼굴 창백해진 거
보소?"

"자, 자. 권 기자 취했어. 진정해. 물어본 내가 잘못했
다."

"아니, 그게 끝이 아니지."

성욱이보다 더 창백해진 얼굴로 손을 휘휘 내저으며
권 기자가 말했다.

"성욱이 말대로, 그 일기를 읽었을 때 대뜸 그런 생각
을 했어. 이거, 그냥 치과청소하는 불쌍한 여자가 쓴 글
은 아니다. 그런 여자가 썼다고 보기에는, 글 자체가 지
나치게 똑똑하다. 그냥 평범한 치과청소부는 자본주의
니 모멸감이니 하는 단어 따위를 들먹이지 않아. 그런
걸 들먹일 여유도 없어. 살아가기에 바쁘니까. "

"그러니까 적당히 상상해서 쓴 가상의 일기라는 얘기
겠지."

"그렇게 생각하면, 오히려 편하지. 하지만 묘하게 말이
야. 읽으면 읽을수록 행간에서 느껴지는 뭔가가 있어서
오히려 더 끔찍하단 말이야. 잘 봐, 네 말대로 이 여자

는 이런 일을 당하느니 그냥 이 돈을 안 받고 일을 그만두고 싶었을 거야. 하지만 내 생각에는, 단순히 돈 문제가 아니라 어떤 다른 이유로, 이 여자는 싫든 좋든 한원장에게 성상납을 했어야 했어."

"무슨 뜻이야?"

"말 그대로야. 선택의 여지가 없었다는 뜻이야. 이 여자는 절대로 이 돈을 받지 않을 도리가 없었어. 이 여자는, 말 그대로 그 치과에서 일하기 시작한 그 순간에 그 한원장이라는 놈한테 찍힌 거야. 절대로 빠져나오지 못할 덫에 걸린 거야. 이 여자는 그 돈을 돌려주려고 해도 한원장놈의 계좌번호를 몰랐을 거고, 어느 누구에게 물어본다 한들 알려줬을 리도 없어. 반대로 한원장이란 놈은 그 여자에게 어떤 식으로든 돈을 줄 수 있었지. 무엇이든 요구할 수 있었어. 아마 죽이려면 죽일 수도 있었겠지. 그리고 만약 이게 팩트였다는 가정 하에서, 잘 봐. 갑자기 아이를 데려갔다고 씌어 있어. 만약 이게……"

"그러니까 네 말은 단순히 한효정 아니 이 일기 속 여자의 남편이 마음을 바꿔서 아이를 데려간 게 아니라……"

"한원장이 뒤로 압력을 행사했다? 모든 걸 다 알아내고?"

"그럴 가능성, 없어 보여?"

"아니. 없진 않지."

"아, 선배님 말 들으니까 진짜 끔찍하네요. 무서워요."

"설마, 이게 팩트겠어? 이거 소설이야. 아무리 봐도 그래. 진짜로 이게 한효정이 쓴 거라면, 이건 소설이라구."

"실화를 바탕으로 한 소설일 수도 있다구요. 꼭 한효정 본인이 아니라, 한효정이 아닌 다른 누군가가 겪은 일을 바탕으로 한효정이 이렇게 일기 형식으로 재구성했을 수 있다니까요? 그 여자, 다큐멘터리 취재 작가였다면서요? "

성욱이의 반문에 달리 뭐라 대답할 말이 없었다.

한효정의 시신은, 늦가을의 낙엽이 수북히 쌓인 낭떠러지 아래 고요히 누운 상태로 발견되었다. 낭떠러지에서 떨어졌다는 느낌보다는, 누군가가 그녀를 그 낭떠러지 아래 눕혀 놓았다는 느낌이 강했다. 게다가 그리 높은 낭떠러지도 아니었다. 아무리 봐도 추락사라고 보기에는 정황상 무리가 있다고 생각했다.

국과수의 부검 결과, 사인은 뇌진탕이었다. 후두부를 아주 둔중한 흉기로 강타했거나, 혹은 아주 딱딱한 바닥에 부딪쳤을 가능성이 다분하다는 것이었다. 추락사라고 단정지을 수도 없고 아니라고 할 수 없이 애매한 정황이었다.

온전히 내 직감만으로만 추측하자면, 범인은 추락사로 위장하기 위해 시신을 그 절벽 아래 고이 모셔다놓았을 가능성이 높다. 그러나 어차피 그 사건이 내 담당도 아닌 이상, 어설픈 추리력을 동원해 범죄를 재구성할 계획 따위는 추호도 없었다. 요즘은 미드(미국 드라마)니

CSI(Crime scene investigator)니 하는 범죄수사물이니 TV 드라마니 하는 것들 덕분에 너나 할 것 없이 이런 범죄의 재구성에 환호한다. 정작 역겨운 냄새와 피비린내와 인간의 육체라고 하기에는 너무나 심하게 짓이겨진 고깃덩이 등을 목격해야 하는 강력반 형사인 나는, 그러한 류의 드라마를 즐기지 못한다. 현실세계의 드라마 또한 마찬가지다. 범인이 누가 되었든 간에, 언제 어디서 어떻게 그녀를 죽였는가에 대해서는 별로 관심이 없다.

정작 내가 궁금한 것은, 그 범죄의 동기, 그러니까 분명 그 범죄와 무관하지 않을 그 일기의 실체. 모두가 한 점 의심없이 팩트라고 철썩같이 믿고 있는 그 일기가 사실은 소설이었다는 사실 앞에서 모두들 허탈해했다. 그리고 그 사실을 인정하려 들지 않았다. 필적 감정 결과라는 분명한 증거가 있음에도 불구하고, 그들은 그 일기의 바탕이 된 실화가 분명 존재한다고 믿고 있었다. 마치 사이비 종교를 맹신하는 광신도처럼.

"진짜 한효정이 있지도 않았던 얘기를 그렇게 리얼하게 쓸 수가 있겠어요?"

"맞아. 내 생각에는 말이야. 한효정이 자기가 아는 누군가의 이야기를 일기 형식으로 기록한 거야."

"그리고 그 일기 때문에 살해당한 거구요."

"아마, 한효정이 한 일년 정도 일했었다는 치과의 원장이 사건의 실마리가 되지 않을까?"

그렇다.

모두의 이목은, 이제 한효정이 일했던 그 치과의 원장, 어쩌면 실제의 한이현 원장의 모델, 아니 진짜 한이현 원장일지도 모를 그 미지의 인물에게 쏠렸다. 그러나 마침내 한효정이 일했던 치과의 간판이 밝혀지고, 원장을 비롯한 병원 직원들의 리스트(현재 일을 그만둔 직원들까지 포함한 모든 직원)가 수중에 들어왔을 때, 나를 제외한 모든 사람들은 실로 당황하지 않을 수 없었다.

 "찾았어요? 진짜요? 드디어!"

 한이현 원장일지도 모를 그 치과의 원장의 신원이 밝혀졌다는 소식을 들은 권 기자와 성욱이는 대뜸 우리의 회동 장소인 수원역 뒷골목으로 헐레벌떡 뛰어왔다.

 "그래, 밝혀졌다."

 역시 눈치가 빠른 권 기자는 심드렁한 내 태도에서 뭔가가 잘못되었음을 직감했는지, 지레 낭패감에 젖은 표정으로 내 얼굴을 들여다보았다. 당연한 얘기지만 메뉴판을 보고 잽싸게 술을 주문한 쪽은 성욱이였다.

 "뭔가 잘못됐지? 그렇지?"

 "아마도. 나도 잘 모르겠지만, 뭔가 잘못된 건 분명한 듯."

 "어떻게 된 거야?"

 "전혀 달라."

 "뭐?"

 "한효정이 일했던 치과의 원장, 한이현이 아니라고."

어째서 그들은, 당연하다는 듯이 한효정이 일했던 치과의 원장이 한이현이라고 믿었던 걸까. 사실, 나부터도, 은연중에 머릿속에 깃들었던 그 섣부른 추측으로부터 자유로웠다고는 말할 수 없다. 그러나, 그래도 이건 좀 너무나도 예상을 깨는 결과였다.

"아니, 뭐 이름은 다를 수도 있지. 그거지? 이름은 다르게 썼을 수도 있어."

"맞아요. 어땠어요? 그 원장, 경찰에 출두했어요? 진짜 한이현처럼 보여요?"

"이 사람들아. 그만 좀 해! 그래, 권 기자 너 말 잘했다. 네 말대로 이름은 바꿔 썼을 수도 있어. 뭐 나이도 그렇고 뭐든 다 바꿔치기했을 수는 있지."

"그러니까, 그래서 그 원장이 한이현의 실제 모델 맞냐고요?"

"그러니까 끝까지 들으라고. 다른 건 다 그럴 수 있어. 근데, 성별까지 다른 건 좀 아니지 않냐?"

"네에?"

순간 권 기자와 성욱이가 지어 보인 그 망연자실한 표정을 사진으로 찍어 두지 않은 것을 나는 두고두고 후회해야 했다. 그 망연자실한 표정에 뒤이은 침묵이 족히 3, 4분은 계속되었다고 기억한다. 마침내 안주와 소주 그리고 맥주가 도착해서야 제정신을 차린 권 기자가 입을 열었다.

"원장이, 여자였어?"

"그래. 여자더라. "

"이런 개미친 막장 드라마를 봤나."

"막장이긴 뭐가 막장이야. 팩트가 그렇다는데."

"내 말은, 그 일기 말이야. 아 진짜. 다 속았어. 우리는 의심 없이 그 일기가 진짜라고 믿었는데. 이게 뭐야."

"그 일기가 진짜였으면, 도대체 어쩌려고 했는데?"

"뭐?"

"그 일기가 진짜였으면 도대체 뭘 어쩌려고 했냐고."

"어쩌긴 뭘 어째. 뭐 그러니까……"

"이미 한효정은 죽었고, 한효정을 능욕한 그 원장놈을 찾아내서, 뭘 어쩌려고 한 건데? 취재? 아, 그래 취재를, 아니지, 취재를 빙자해서 더 자세하게 캐묻고 싶었어?"

"문 형사 너 갑자기 왜 이래?"

"그게 아니면, 그 원장놈 찾아내서 대신 복수하려고 했어? 그건 아닐 거 아냐?"

"선배님들 왜 이러세요. 지금 우리가 그거 가지고 싸우려고 모인 거 아니잖아요. 자, 자. 제가 따라 드릴게요. 자요. 어서요. 문 형사님부터."

눈치빠른 성욱이가 얼른 우리를 말리지 않았다면 권 기자와 나는 그 자리에서 서로를 치고받으며 한바탕 난투극을 벌였을지도 모르겠다. 권 기자는 잠시 눈을 부릅떠 보였으나, 자기 딴에도 뭔가는 내 말에 찔리는 구석이 있었는지 이내 고개를 절레절레 내저으며 일어섰던 의자에 도로 주저앉았다.

"사실은."

내 잔에 술을 따르려는 성욱이의 손을 밀쳐내고 권 기자는 내 잔에 술을 따랐다. 한숨을 푹 내쉬면서.

"나도 모르게, 그 원장놈이 그 여자를 죽였을 거라는 추측을 하고 있었어. 그런데 생각해 보니까, 그 원장놈이 그랬을 이유는 어디에도 없었네. "

"아니요. 이유는 있죠. 그 여자가 거길 그만두기 전에 그 원장 손등을 가위로 찍었잖아요. 만약 그게 진짜였다면."

"그게 진짜였다고 해도, 그게 그 원장이 그 여자를 죽일 정도의 이유는 못 돼. 그 원장의 모델이 되는 사람을 실제로 안 만나봐서 모르겠지만, 아마 일기에 쓰여진 그대로 추측하자면 보통 놈은 아니라는 생각이 들어. 나이도 별로 많지 않은 것 같고. 그런 놈이라면, 일처리를 이렇게 번거로운 방식으로 했을 리가 없어. "

"하지만, 정말로 상황이 자기한테 안 좋게 돌아간다고 생각한다면 충분히 살해할 수도 있는 거죠?"

"이런 식으로는 아니야. 차라리 그 여자가 견디다 못해 자살했다면 또 모를까. 이렇게 누가 봐도 이 여자가 남의 손에 죽었소 하는 식으로 야산에 곱게 내다버리는 건, 왠지 이 일기에 나오는 그 한이현이 쓸 만한 방식은 아닌 것 같아."

"그러니까 선배님 말씀으로는, 범인은 따로 있다는 얘기 같네요."

"후보는 많아. 우선, 그 여자, 한효정 말고 그 일기에 씌어진 그 여자의 전남편. 그래. 그 전남편이 있지. 그리고 문 형사, 한효정한테 오래 사귄 약혼자 비슷한 애인도 있었다고 하지 않았어?"

그랬다.

한효정에게는 오래 사귄 애인이 있었다. 그러나 그 한효정의 애인이 유력한 용의자 겸 참고인으로 경찰 조사를 받으러 왔을 때, 오래된 형사의 직감을 동원하지 않고도 나는 그가 범인이 아니며, 이 사건과도 무관하다는 사실을 즉각적으로 깨달았다. 그의 표정은 너무나도 허탈해서, 마치 애인이라기보다는 남편이 보여줄 법한 그런 태도를 보여주고 있었다.

알리바이도 분명했다. 최근 그는 자신의 업무로 인해 지방에서 거의 살다시피 했고, 한효정의 시신이 발견된 지 한참 후에야 이곳으로 돌아온 참이었다. 참고인 조사를 받으면서 그는 무슨 이유에서인지 한참이나 눈을 감고 고개를 갸웃거렸다. 이상하다고 생각한 나는 동료에게 부탁해 잠시 그와 이야기를 나눌 것을 청했다.

"아까부터 자꾸 고개를 저으시는 게……혹시 뭔가 짚이는 게 있나 해서 여쭤봅니다만, 수사를 떠나 편하게 대답해 주시면 감사하겠습니다. 돌아가신 고인을 위해서라도요."

내가 내민 캔 콜라 덕분이었는지, 아니면 위축된 마음을 풀어주려는 나의 진심이 통했는지 그는 의외로 쉽게 속을 보였다.

"꽤 오래 사귄 사이입니다. 효정이하고 저 말입니다. 정말 아무 문제 없었어요. 섹스할 때도 말입니다. 아무 문제 없었는데, 결혼하려고, 작년에 상견례도 하고 이것 저것 차근차근 준비하고 있었는데."

그는 엉엉 울음을 터뜨렸다. 그의 울음이 한참이나 이어졌다. 그러니까, 그는 결혼 여부를 떠나 자신의 청춘을 함께했던 동반자를 잃었다는 슬픔에 잠겨 있었다. 그러고 보니 죽은 한효정은 마흔을 넘긴 나이였다. 이 남자도 사십 대 중반이다. 이제 와서 새로운 여자, 그저 하룻밤 상대나 연애 상대가 아닌 새로운 동반자를 찾는게 쉽지 않을 판이었다. 덩치는 크고 성미는 억세 보였지만 속내는 순한 그런 류의 남자였다.

이렇게 치밀하지 못한 남자들은, 살인을 저지르고도 금세 들키기 마련이지만 이 남자에게서는 살인자의 징후가 느껴지지 않는다.

"하지만, 뭔가 이상하다고 느끼신 건 있으실 텐데요."

내 질문에 그는 한참이나 말을 잇지 않고 캔콜라를 들이키며 뭔가 생각에 잠긴 눈치였다. 한참만에 그는 입을 열었다.

"갑자기 파혼하자고 하면서, 아직 결혼 준비가 안 되었다고 하길래 화가 나서 효정이를 좀 몰아붙이긴 했습니다. 작년에 말이죠."

"그러셨군요."

"갑자기 왜 그러냐고 물어봐도 도통 대답을 안해요. 나 때문이냐고 물었더니 그건 아니라고 하고, 새로운 놈 만났냐고 물었더니 그것도 아니래요. 파혼하고 나서도 모텔로 불러내면 곧잘 나왔습니다. 아무래도 정말

본인 말대로 결혼은 싫고 좀 더 이러고 있고 싶은가 보다 해서, 굳이 채근하지 않고 그냥 내버려뒀습니다."

"이런 질문은 정말 하기 싫은데 말입니다."

드디어 내 입에서 그 질문이 나올 차례였다.

"혹시, 일기 보셨습니까?"

"일기요? 무슨 일기요?"

"죽은 한효정 씨 집에서 발견된 일기 말입니다."

"아니, 효정이가 일기를 썼어요?"

"제 생각에는, 본인 얘기를 쓴 건 아닌 것 같습니다만, 뭐 읽지 않으셨다면 굳이 읽으실 필요가 없을 것도 같습니다만……"

.

.

"그래서, 그 사람이, 한효정의 전 약혼자가 그 일기를 읽었대요?"

그 다음 주에 우리 세 사람이 다시 모인 자리에서, 아니나다를까 이번에도 도마에 오른 안주감은 다름아닌 이 사건이었다. 지난 주까지 나는 권 기자와 성욱이에게 한효정의 전 약혼자를 비공식으로 취조한 이야기를 들려 주었고, 그 약혼자에게 한효정의 일기 사본을 보여 주었다는 얘기까지도 했었다.

"응, 읽었대."

"그래서 뭐래요?"

"아무래도 자기들 얘기를 쓴 것 같다는데?"

"네?"

권 기자와 성욱이의 눈이 다시 접시만큼 둥그래졌다.

"다른 건 모르겠고, 베드 씬은 자기랑 그 여자가 했던 거랑 거의 그대로라는데? 입에 담지 못할 말을 퍼부은 거랑, 벽에 붙여 놓고 뒤에서 하는 그런 거랑, 그런 걸 왜 이런 식으로 써 놨는지 모르겠다면서 한숨을 푹푹 쉬던데."

생각보다 단순한 남자였다. 어떤 글을 읽어도 액면 그대로만 읽을 뿐, 숨겨진 함의 따위는 전혀 찾아내지 못할 남자였다.

"효정이가 가끔 그런 말을 하긴 했어요. 소설을 써 보고 싶다고. 그런데 막상 써 보니까 생각만큼 잘 되지는 않는다고. 그래서 요즘 소설책을 많이 읽기도 하고, 뭐, 아나이스 닌? 뭐 그런 여자 작가가 있는지 몰라도, 그런 여자 얘기도 하고. 한때 틈만 나면 그 여자 얘길 해서 다른 건 몰라도 그 외국 여자 이름은 기억하고 있었네요."

"그러니까, 이건 그냥 효정 씨가 쓴 소설이다?"

"제 생각에는, 그래요. 걔 심심하면 커피숍에서 이런 거 끄적이면서 시간 보내고 그랬어요. 저랑 모텔 가는 시간 맞추느라 기다릴 때도 혼자 커피숍에서 이러고 놀았을 거예요. 제가 걔를 몇 년이나 알고 지냈는데 걔 버릇을 모를까봐서요."

그런 이야기를 권 기자와 성욱이에게 들려주는 동안, 그들은 너무나도 미심쩍어하는 표정을 노골적으로 지어 보였다. 내 얘기가 끝나자 성욱이가 눈살을 찌푸리며 고개를 내저었다.

"그건 좀 아닌 것 같은데."

"뭐가? 뭐가 좀 아닌 것 같다는 거야?"

"그 일기가, 그 약혼자라는 사람 생각만큼 그렇게 단순한 심심풀이 습작? 그런 거라는 생각은 안 들어요. 범인이 누군지는 몰라도, 이 시점에서 저든, 선배님이든 그리고 문 형사님도 다 같이 공통적으로 딱 한 가지 동의하는 게 있잖아요."

"그게 뭔데?"

"그 일기가, 한효정이 죽는 결정적인 도화선을 제공했다는 거요. 그건 동의하시죠?"

잠시 생각을 한 후, 나는 고개를 끄덕였다. 권 기자 역시 고개를 끄덕였다.

그건 성욱이의 말이 맞다.

범인이 누가 되었건, 그리고 그 일기에 씌어진 내용이 팩트건 아니건, 한 가지는 확실하다. 다름아닌 그 일기가, 한효정을 죽음으로 몰고 가는 결정적인 계기가 되었다는 사실이다. 그 일기는, 결코 한효정의 죽음과 무관하지 않다.

그리고 며칠 후, 내가 맡은 사건을 수사하느라 일찍부터 나갔다가 오후에 경찰서로 복귀한 나는 한효정 살인사건의 참고인 진술 조서를 쓰러 온 사람들과 마주쳤다.

다름아닌 한효정이 일했던 치과의 원장과 실장이라고 했다. 원장은 이미 들은 대로 여자였고, 마흔 셋이라는 나이가 무색하게 상당한 미인이었다. 딱하게도 그녀는 이런 일이 처음이었던 듯(어쩌면 당연한 노릇이다), 연신 어쩔 줄 몰라하며 당황한 태도를 감추지 못했다.

"세상에, 그 착한 분이 그렇게 돌아가실 줄은……"

그렇게 눈물까지 보이며 두 손을 꼭 쥔 여의사를 옆에서 침착한 태도로 달래는 삼십대 중반 정도의 젊은 남자가 다름아닌 그 치과의 실장이라는 사람이었다. 여자 원장 못지 않게 준수한 외모가 사람의 눈길을 끌었다.

"실례지만 성함이?"

"채유나라고 합니다."

채유나 원장이 운영하는 B치과의 위치는 이 부근에서 다소 떨어져 있었지만, 알고 보니 상당히 유명한 치과였다. 한때 유능한 의료진들이 포진해 있어 그로 인해 명성이 높았지만, 최근에는 그들 중 상당수가 그만두었다고 한다. 정도영 실장(그 준수한 실장의 이름이었다)의 친절한 설명을 듣는 동안, 나는 채유나 원장의 아름답지만 이렇다 할 특징이 없어 보이는 얼굴을 보며 그녀는 이번 사건과 전혀 무관한 사람일 거라는 직감을 느끼고 그만 기운이 빠졌다. 아니, 어쩌면 이번 사건에는 어떤 식으로든 연루가 되어 있을지 모르지만, 적어도 그녀가 그 일기 속 한이현 원장의 모티브가 아닌 것만은 확실했다.

반면, 난데없이 나타난 이 정체불명의 나이보다 어려 보이는 미청년, 정도영 실장이라는 사람의 존재는 내 흥미를 끌었다. 아무리 봐도 유순해 보이는 인상이었다.

살인사건 따위와는 일 퍼센트의 연관성도 없어 보였다. 아마도 예쁜 여자친구가 있을 것이 분명했다.

가장 다행스러운 사실은, 두 달 전까지도 그 병원에서 치과청소부 겸 치기구세척사로 일했던 한효정에 대해 정도영 실장은 그녀를 비교적 잘 기억하고 있었다는 것이다. 반대로, 그녀를 고용했던 실질적인 고용주인 채유나 원장은 그녀에 대해 아는 바가 거의 없었다. 그녀는 대부분의 병원들이 그렇듯 인사 문제나 행정 문제 등 잡다한 업무를 거의 정도영 실장에게 위임하고 그녀 자신은 치과의사로서의 업무, 즉 치료에만 전념했었다.

따라서, 한효정에 대한 질의는 거의 대부분 정도영 실장에게 쏟아졌다. 질의의 대부분은 시시한 것이었고, 작성된 진술서도 보나마나 시시한 내용일 것이 뻔했지만 어차피 내 담당이 아닌 이상은 신경쓸 이유가 없었다. 그러나 한효정의 약혼자와 마찬가지로, 한효정의 주변 인물들에 대해 강한 호기심을 느낀 나는 역시 정도영 실장이라는 남자를 탐색해보고 싶어졌다. 다행히 채유나 원장은 그녀 자신이 별다른 혐의를 적용받지 않았다는 사실에만 안심한 듯, 서둘러 자신이 몰고 온 차를 타고 가버렸다. 잠깐만 남아서 더 얘기를 해 달라는 나의 요청에 정도영 실장은 별다른 거부감을 보이지 않았다.

"아까 보니까 원장님을 잘 보필하시던데, 아니 표현이 좀 이상한가? 원장님을 많이 신경 쓰시고 살피시는 것 같던데. 꽤 오래 같이 일하셨나 봅니다?"

"아, 네. 그렇죠. 누나가 개업할 당시부터 일했었으니까 거의 5, 6년이 다 되어 가죠?"

"누나라고요?"

"채유나 원장님이 제 외사촌 누나입니다. 저는 치과기공사니까, 면허를 따자마자 자연스럽게 누나 밑에서 일하게 된 거구요."

"아아, 그렇군요."

속으로 채유나 원장과 정도영 실장 사이의 미묘한 관계를 -이를테면 불륜이라든지- 포착하기를 은근히 기대했던 나는 맥이 빠졌다. 미모의 여자 원장과 잘생긴 연하의 실장의 관계는 그렇게 싱겁게 밝혀지고 말았다.

"채유나 원장님이 예쁘시던데, 당연히 결혼은 하셨겠죠?"

"그럼요."

"병원에 다른 의사 선생님은 안 계신가요? 채 원장님 말고? 이를테면 부원장님이라든지, 인턴의라든지."

순간 정도영 실장의 눈썹이 칼처럼 날카롭게 일그러졌다. 한순간이었지만, 몹시 당황한 표정이었다. 아니 어딘가 모르게 아픈 곳을 찔려 아파하는 듯한 그런 느낌이라고나 할까. 그의 대답을 듣기까지 몇 초의 시간이 걸렸다.

"부원장님이 계십니다."

"부원장님? 그 분도 여자분이신가요?"

"네."

"나이는 어느 정도? "

"서른 여덟인가 아홉인가. 저보다 세 살 많은 걸로 알고 있습니다. 아마 올해 서른 아홉일 겁니다."

"으음……"

이제는 한효정에 대해 물어야 할 차례였다.

그녀의 이름이 나오자 정도영 실장은 약간 화난 표정을 지었다. 아니, 단순히 화가 난 사람의 표정이라기보다는, 뭔가 복잡한 생각에 잠겨드는 사람의 표정을 지었다. 잠시 후 내게 담배를 청해 온 그를 데리고, 나는 경찰서 뒷마당 구석으로 돌아져 있는 자판기 옆 벤치로 향했다. 바로 한효정의 약혼자를 비공식 취조했던 그 자리였다.

"참 이상한 여자였어요."

담배를 피워 문 그는, 비로소 그렇게 입을 열었다.

"겉보기에는 그냥 평범한 여자처럼 보였지만, 알면 알수록 수수께끼 같은 여자였어요. "

"예뻤습니까?"

"예쁘긴 하지만, 그렇게 겉으로 드러나게 예쁜 느낌은 아니었어요. 늘 마스크를 쓰고 일을 해서, 가끔씩 그 마스크를 벗었을 때만 얼굴을 볼 수 있었거든요. 그래도 어쨌든 못생기진 않았어요. 아니, 미인이었죠. 네. 미인이었어요."

그러니까, 객관적으로 봐서는 예뻤을지 몰라도, 최소한 한효정이 정도영 실장의 취향에 부합하는 미인이 아니었던 것은 확실했다.

"그런 사람이, 왜 그런 일을 하는지 이해할 수가 없다고 생각했어요."

"그런 사람이라니요?"

"머리도 좋고 학벌도 좋고, 집안도 부유한 편이라고 들었어요. "

"누구한테서 그런 얘길 들었죠?"

"치위생사 선생님들요. 그 여자랑 친했던 미스들이 있었죠. 미세스들도요."

"아마 한효정의 이력서를 검토하신 게 실장님이실 텐데, 이력서에는 별다른 사항이 없었나 보죠?"

"출신 학교와 경력이 적혀 있었어요."

"그러면, 한효정이 다큐멘터리 작가였던 것도 알고 계시겠네요."

"그래서 더 이해할 수가 없어요. 왜 그런 일을 했는지."

"그런 일이라면, 치과청소부를 말씀하시는 겁니까?"

"치기구 세척, 치과 청소. 그런 것들요. 그런 허드렛일을……"

"그러니까 실장님은, 어떤 어려움에 처하더라도 신분이 높고 자존심이 강한 사람이라면 그런 허드렛일을 하지 말아야 한다고 생각하시는 거군요."

정도영 실장이 당황한 표정을 지었다.

"아, 제 말은……"

"아니요. 괜찮습니다. 무슨 뜻으로 하신 말씀인지 잘 압니다. 제가 실언했습니다."

순순히 사과하는 나를, 정도영 실장은 잠시 마뜩찮아하는 눈으로 노려보았다. 순간, 그 눈빛에서 살기가 느껴졌다. 역시 내 직감이 맞았다. 그냥 유순한 남자는 아니었다. 잠시 후 정도영 실장은 눈에 담았던 살기를 거두고 고개를 떨구며 피식 웃었다.

　"좀 웃기네요."

　"네?"

　"신분이라뇨. 이 자본주의 시대에서, 신분이라니……"

　"있습니다."

　"네?"

　"자본주의 시대에도 신분은 있습니다. 그걸 결정하는 것들이 몇 가지 있지만, 첫번째는 당연히 돈이겠죠. 실장님께서도, 한효정이 왜 그런 '허드렛일'을 하는지 모르겠다고 하시지 않으셨습니까? 그것도 방금."

　"……"

　"그러니까, 실장님께서는 바로 그런 이유로 한효정이 이상한 여자라고 생각하셨던 거군요."

　"아뇨, 말씀하신 대로, 경제적으로 어렵고 다른 일을 할 방편이 없으면 그런 일을 할 수도 있다고 생각합니다. 하지만, 그 여자는, 아니 한효정 선생님은 좀 뭐랄까……딱히 할 수 있는 일이 없어서라기보다는, 뭔가 그 일을 꼭 해야 하기 때문에 그 일을 하는 것처럼 보였다고 해야 하나. 하지만 그런 이유 말고도, 그 선생님은 어딘가 모르게 묘한 느낌이 있어서, 아아 그걸 뭐라고 설명해야 할지……"

"대충 어떤 느낌인지 알 것 같습니다."

"그러니까 말하자면, 뭔가 다른 목적이 있는 사람 같다고나 할까? 그래서 저는, 혹시 이웃한 다른 병원에서 밀명을 받고 잠입한 스파이나 프락치가 아닐까 하는 의심도 했었습니다."

웃을 얘기가 아니었건만, 나도 모르게 픔 하고 웃음을 터뜨렸다.

"하지만, 몇 달이 지나도 별다른 사건은 없었습니다. 일도 비교적 성실하게 하셨고요. 원래부터 험한 일을 하셨던 분은 아니어서 그랬는지 일손은 좀 서투르긴 했지만 말입니다. "

"그러다가 갑자기 일을 그만두신 거군요."

"네."

"그게 언제였죠?"

"지난 달 초였던 걸로 기억합니다."

"그만두신 지 얼마 안 되어서 이런 일이 벌어진 거네요."

"네. 저 그런데 형사님. 질문이 있습니다만."

"네. 말씀하시죠?"

"보통 형사들이라면 피해자가 죽던 날 어디 갔었냐, 어디서 뭘 했냐, 알리바이는 있냐 뭐 그런 걸 물어보시는 걸로 알고 있는데요. 형사님이 저한테 하시는 질문은 좀 뭔가 결이 다른 것 같아서……"

"아, 저는 취조를 하자는 게 아닙니다. 여기가 형사과도 아니고 취조실도 아니고요. 저는 그냥, 그 한효정 씨

가 쓴 일기 때문에 그저 그 분이 어떤 분이었는지 궁금
해서……"

"일기요?"

갑자기 정도영 실장의 안색이 눈에 띄게 새파래졌다.
그가 숨을 훅 들이키는 소리가 선명하게 귀에 들어왔다.
잠시 후 그는 내게 덤벼들 듯한 기세로 되물었다.

"한효정 선생님이, 아니 그 여자가 일기를 썼다고요?"

"네. 워낙 사실 관계가 뒤죽박죽이 된 일기라, 뭐 어디
까지가 픽션이고 어디까지가 팩트인지는 확인할 길이
없긴 합니다만."

"대체 무슨 내용이 적힌 겁니까?"

"일기라고는 하는데, 제가 보기에는 일기라기보다는
소설 쪽에 가까웠다고 할까요?"

이 미청년이 보여주는 상식 밖의 당황스러운 반응에
나는 속으로 적잖이 놀랐다. 아무래도 이 남자, 한효정
살인사건과 전혀 무관하지는 않은 인물임에 분명했다.
생각지도 못한 부분에서 단서를 잡는 것일까. 나는 속
으로 쾌재를 부르며 정도영 실장에게 물었다.

"내용이 궁금하시다면, 지금 바로 사본을 보여드릴 수
도 있습니다만?"

내가 내민 한효정 일기의 사본을 받아들고 정도영 실
장이 급히 돌아간 후(일단은 그를 선선히 보내주는 게
맞다고 판단했다), 비교적 무탈하게 지나간 긴긴 하루
의 업무를 마치고 퇴근하려던 차에 한 여자가 경찰서로
들어섰다. 매우 급한 걸음걸이로.

역시, 대단히 눈에 띄는 여자였다.

키가 크고 후리후리했으며 날씬했다. 짧게 커트친 머리에 날렵한 인상이 매력적이었다. 보는 사람에 따라서는 섹시하다고 말할 수도 있을 터였다. 물론, 내 경우는 그런 타입의 취향이 아니었기에 뭐라 선뜻 단정지을 계제는 못되었지만 말이다.

"어쩐 일로 오셨습니까?"

내 대신 그녀에게 말을 건 내 동료를 향해 그녀는 약간 다급해하는 목소리로 되물었다.

"혹시, 정도영 실장님이 오늘 여기 왔다 가셨나요?"

"아, 네. 낮에 다녀가셨습니다."

그렇게 대답한 쪽은 나였다. 그녀는 나를 찬찬히 돌아보더니, 나를 탐색하는 표정으로 노려보며 되물었다.

"그러니까, 별다른 일은 없었던 거네요?"

"네. 현재까지는 별다른 혐의점이 없어서, 채원장님과 정실장님 모두 간단한 조사만 마치고 귀가하셨습니다만."

내 대답에 여자는 침묵을 지켰다. 그러나 순간 그녀를 스쳐간 것은, 분명한 안도의 기색이었다. '그래, 너도 이 일에 뭔가 연관된 게 있구나.'

"그런데 실례지만 누구신지?"

다분히 실례될 법한 말투로 되물은 내 질문에 그녀는 이번에도 잠시 침묵을 지켰다. 뭔가 머릿속으로 상당히 복잡한 계산을 하고 있는 눈치였다. 미인이긴 하지만 채유나 원장 못지 않게 차가운 인상이었다. 겉보기에만 차가워 보였을 뿐 실제로 그리 차가운 면모를 보이지 않았던 채유나 원장과 달리, 이 여자는 뼛속까지 차가운 성품을 그리 숨기려는 기색조차 보이지 않았다.

마침내 그녀가 슬쩍 웃음을 띄우며 천천히 입을 열었다.

"저는, B치과의 부원장 박정하라고 합니다."

"뭐라고?"

그 주에도 어김없이 찾아온 삼자회동의 장에서, 내가 들려주는 수사 정황을 주도면밀하게 듣고 있던 권 기자가 별안간 벌떡 일어섰다. 박정하 부원장의 이름을 입에 올린 바로 다음 순간이었다.

"그러니까 그 부원장의 이름이……"

"그렇지. 그 일기 원본의 뒷면에 적힌, 정하라는 이름. 기억하지?"

"설마 그 이름의 주인이 그 부원장?"

"그럴 수도 있고 아닐 수도 있지."

"난 맞다에 한 표."

"그러면, 그 일기를 쓴 게 한효정이 아니라 그 부원장이라는 걸까요? 그걸 한효정이 갖고 있다가 살해당한 거? 그런 거라면, 그 부원장이나 실장이 당황하는 것도 무리는 아니지 싶은데……"

"부원장은 그렇다 치고, 실장이 당황할 이유가 뭐가 있을까?"

"어떤 식으로든 살인에 개입했다면, 얘기가 달라지죠?"

확실히 권 기자보다는 성욱이 쪽이 훨씬 더 직감이 남달랐다. 그의 말대로, 실장이 그 사건에 개입하지 않았을 가능성은 거의 없어 보였다. 물론, 그렇다고 해서 서둘러 그 실장이라는 남자를 압박할 생각은 별로 없었다. 무엇보다 그 사건은 내 소관이 아니었고, 나로서는 그 사건에 쓸데없이 많은 에너지를 쓰고 싶은 마음이 없었기 때문이다.

하지만……

학창시절 짝사랑했던 여자로부터, 마지막 대학 등록금을 벌기 위해 어쩔 수 없이 유흥업소에서 두 달을 일해야 했다는 고백을 들었던 그 기억 이후로 마음 속에 남아 있는 그 앙금 아닌 앙금을, 다름아닌 이 사건으로 해서 다시 떠올리게 될 줄은 몰랐다. 어떤 이유로든, 한효정은 과히 즐겁지 않은 기분으로 그 일들을 했을 것이다. 돈이 필요했든, 혹은 다른 이유가 있었든 간에 말이다. 물론 세상은, 그녀의 속사정 따위는 아랑곳없이 그녀에게 그녀가 치과청소부로서 받아 마땅한 바로 그런 대접을 했을 것이다.

그런 대접이라는 것은, 반드시 무시와 경멸과 냉대라는 형태로만 나타나지는 않는다. 싸구려 친절, 그리고 사람들이 어떤 의무감을 가지고 베푸는 동정과 연민을, 한효정은 그녀의 특유의 날카로운 시선으로 포착하고 있었다. 설령 그것이 한효정 본인의 소설이 아니라, 다른 어떤 누군가의 일기를 충실하게 베껴 쓴 것이라 해도 말이다.

그러니까 나로서는, 이 일기가 박정하 부원장에 의해 씌어진 소설이라고는 도저히 생각할 수가 없었다. 그러나 한효정과 박정하 부원장이 그저 단순히 알고 지내는 관계는 아니었을 가능성을, 그 일기는 보여주고 있었다. 다행히, 박정하 부원장에게는 일기에 대해서는 일언반구도 언급하지 않았다. 의도한 것은 아니었지만, 이제 와서 생각하니 그녀에게 일기 얘기를 하지 않기를 정말 잘했다는 생각이 들었다.

"도대체 그 일기 말인데요."

기가 막히다는 듯 성욱이가 우리들의 비워진 잔을 다시 순서대로 채우며 물었다.

"어디까지나 진실이고 어디까지가 거짓일까요? 그리고 진짜로 그걸 쓴 게 누굴까요?"

시간은 계속해서 흘러갔고, 결국은 그 지독하게 선정적인 내용으로 경찰과 온 동네 사람들을 충격에 빠뜨렸던 그 일기에 대한 관심도 흐지부지되었다. 당연한 얘기지만 수사는 어느 시점에서 진척이 없었고, 사건은 미궁으로 빠지는 것처럼 보였다.

"문 형사님, 새로운 사실이 나왔네요. 그 치과청소부 사건요."

"응? 뭔데?"

그날따라 몹시 무료했던 차라, 반색을 하며 되물었던 것 같다.

"죽은 한효정이 한참 다큐 작가로 활동할 때, 잠깐 필명으로 활동했던 적이 있대요. 그런데 그 필명이……"

"필명이?"

"한이현, 이라네요?"

하, 맙소사.

그러면, 그 일기에 나오는 그 치과 원장 한이현이, 다름아닌 그녀 자신이었단 말인가?

그쯤 해서는 권 기자와 성욱이 또한 그 사건에 대한 관심이 시들해져 가고 있었기 때문에, 그 다음 주에 그들을 만난 (이제는 삼자회동이 거의 격주로 이어지는 정례미팅 수준으로 굳어지고 있었다) 자리에서 나는 그 얘기를 그들에게 해줄까말까를 두고 약간 망설였다. 그러나 생각해 보니 해주지 않을 이유도 없어서, 나는 결국 한효정의 필명이 한이현이었다는 얘기를 권 기자에게 들려 주었다.

내 말을 들은 권 기자는 넋이 나간 표정을 짓더니, 한숨을 푹 쉬었다. 그리고는 소주를 두 병 더 주문했다.

"그러니까 결국 그건, 한효정이 지맘대로 쓴 소설이었던 거네."

"어째 권 기자 표정이 좀 그렇다? 뭐 배신당한 사람 같은 그런 표정을 짓고 있어?"

"아니 나 사실 진짜 배신감 느껴져. 난 그게 진짜 일기라고 믿고 있었단 말이야. 아니, 사실은 그렇게 믿고 싶었던 거지만."

"오히려 소설이라서 다행인 게 아니고?"

정말로 그렇게까지 나락으로 떨어지는 여자의 이야기가 실화이기를 바랐느냐고 되묻고 싶었지만 그렇게 얘기했다가는 또 싸울 것이 뻔했다.

"모르겠어. 정확히는 모르겠지만……난, 아무래도 감정이입을 하고 있었던 모양이야."

"감정이입? 누구한테? 설마 한원장?"

"응."

"돈으로 여자를 능욕하는 남자?"

"아니."

"그럼, 침대에서 현란한 테크닉을 과시하며 여자를 묵사발로 만드는 변강쇠?"

"응, 그건 틀린 건 아닌데, 꼭 그런 것보다는……"

"그럼 대체 뭔데? 왜 한이현 원장한테 감정이입을 한건데? 어떤 지점에서?"

권 기자는 잠시 생각에 잠기는 눈치였다. 아마도 뭔가 하고 싶은 말이 제대로 만들어져 나오도록 머릿속으로 자신의 논리를 정리할 시간이 필요했던 모양이다.

"갖고 싶은 것을 죄책감없이 손에 넣고야 마는 남자. 힘없는 여자가 자신에게 해대는 협박을 우습게 받아넘길 줄 아는 남자. 한 마디로, 겁없는 남자."

아.

"돈을 빌미로 힘없는 여자를 겁탈하면서, '그냥 이건 거래일 뿐입니다'라고 말하면서 자신의 죄책감만이 아니라 상대의 죄책감까지 일시에 말소시켜 버리잖아. 물론 그런다고 죄책감이 정말로 사라지는 건 아니겠지만 말이야. 아니 따져 보자고. 도대체 그 두 사람이 무슨 범죄를 저질렀다는 거야? 무슨 못할 짓을 저질렀단 말이야? 성매매라고? 매춘이라고? 부도덕하다고? 그래, 그렇게 말할 수는 있어. 하지만, 돈이 필요한 여자가 자살할 지경에 이르렀는데도 자기 욕망을 참아가면서 구경만 하고 있는 건 도덕적인 건가? 그리고, 돈을 갚을 길이 없는 상황에서 돈보다 더 확실하고 비싼 대가를 기꺼이 치르겠다는 여자를 거부하는 건 도덕적인 건가? 한원장은 아무런 대가 없이 그 여자를 그냥 납치해서 겁탈할 수도 있었지만 그렇게 하지 않고 끈질기게 기다렸어. 집요하게 말이야. 그렇다고 그 작자가 잘했다는 건 아니야. 가장 최선이라 할 게 뭐였느냐 묻는다면, 아무 대가 없이 돈을 빌려주고 그냥 그 여자가 갚으려고 할 때 순순히 돈을 돌려받는 게 가장 바람직한 결말이었겠지. 하지만 그가 원한 건 돈이 아니었고, 다른 방법으로는 그 여자를 가질 길이 없었잖아."

"이봐, 권 기자. 한원장은 실존인물이 아니야. 적어도, 밝혀진 사실만 두고 보면 그렇게밖에 생각할 수가 없어. 너무 깊이 빠지지 마."

"나도 깊이 빠지긴 싫어. 하지만 자꾸 생각을 해 보게 돼. 내가 한원장이라면, 저렇게 유능하고 배짱 두둑하고 겁이 없는 남자라면……그렇게 생각하니까 나 자신이 너무나 초라한 거야. 나 자신이 너무나 우스운 거야. 네 말대로, 내가 한원장 같은 사람이라면 좋겠지만 그게 아니니까 그게 너무 화나는 거야. 그 일기를 쓴 그 여자, 아무런 힘도 없는 치과청소부의 심정이 백 퍼센트 이해가 돼. 자본주의는 철저하게 돈의 논리로 움직이는 시스템이야. 도덕 따위가 개입할 여지가 없어. 그런데도 사람들은 위선자처럼 그러면 되니 안 되니 하고 입만 나불거린단 말이야. 조금만 더 들어 봐. 나는 그 두 사람의 관계가, 정확하게 어떤 관계인지를 정립하고 싶지만 그게 잘 안 되더라고. 생각해 봐. 돈이 개입되면 매춘이 되고, 돈이 개입되지 않으면 범죄가 되지. 매춘도 범죄도 되지 않으려면 두 사람이 연인 사이여야 하는데 그건 불가능해. "

"저기, 말을 끊어서 죄송한데요."

그때까지 권기자와 나의 대화를 듣기만 하던 성욱이가 갑자기 끼어들었다.

"돈으로 뭐든 살 수 있는 게 자본주의 사회라면, 연인 관계라는 것도 돈으로 주고받을 수 있는 거 아닌가요? 아닌 말로, 그 치과청소부가 마냥 한원장에게 성폭행을 당하는 치욕감만으로 그 한원장을 상대했으리라는 법은 없잖아요?"

"문제는, 한원장도 치과청소부도 서로 연인관계가 될 생각은 손톱만큼도 없었다는 거지. 한원장은 자기 입으로 마음 같은 거 필요없다고 했어. 치과청소부도, 아마 돈을 받을래 마음을 받을래 하고 묻는다면 결국은 마음 대신 돈을 받는 쪽을 택했을 거야. "

권 기자는, 내 예상과는 달리 그 일기를 매우 주도면밀하게 읽었고, 미처 내가 생각하지 못한 부분까지 들춰내가며 상세하게 분석하고 있었다.

"뭐, 이제 와서 어떻든 다 무슨 소용이냐고 하겠지만, 나는 서글퍼. 우리 같은 겁쟁이들이 사회를 구성하고 있다는 게. 정확하게 말하면, 우리가 겁내는 게 대체 뭐냐고. 우리가 그토록 두려워하고 있는 것들의 실체가 대체 뭐냐고. 결국은 돈이잖아. 그 일기 속에서 한원장이 했던 말대로, 아마 돈만 있으면 충분히 그 치과청소부를 자기 손으로 죽이고도 사건을 무마시킬 수도 있었겠지. 물론 직접 자기 손에 피를 묻히는 건 그 작자의 방식은 아니었겠지만. 여튼, 나는 그 일기를 읽으면서, 내가 겁쟁이라는 사실을 깨달았어. 이런저런 굴레에 얽매여 원하는 걸 가지지도 못하는 겁쟁이 말이야. 타인의 인생을 파괴하지 않는다는 걸로 위안을 삼으면서, 사실은 하나밖에 없는 인생을 이런 식으로 매순간 허비하는 중이지. 기회를 놓치고 쓸데없는 인내심만 발휘하면서. 인생은 하나인데, 두 개가 아닌데 말이지."

"권 기자 진정해라. 타인의 인생을 파괴할 권리는 누구한테도 없다."

"바로 그거야. 한원장이란 놈을 어떻게든 찾아내서, 멱살을 붙들고 네가 이럴 권리가 있느냐고 따져묻고 싶지만 빌어먹을, 실존인물도 아니라매? 그럼 난 대체 어딜 가서 누구 멱살을 잡고 따져야 하는 거야? 네가 아무리 힘이 있고 잘났기로, 이 여자를 이런 식으로 파괴할 권

리가 대체 어디 있느냐고 따져 묻고 싶어도 따져 물을 상대가 없어진 거잖아?"

그날, 권기자는 나와 성욱이의 등에 번갈아 업혀가며 집으로 강제 이송되었다. 그의 머릿속을 잠식한 번뇌의 무게만큼이나 그의 몸무게는 무거웠다.

나로 말하자면, 권 기자와는 조금 다른 차원에서, 그 일기 속 치과청소부의 정체에 대해 골똘히 생각해보는 참이었다.

일기 속 한이현은 분명 한효정의 필명이다. 그 말은, 한효정이 자신을 치과청소부가 아닌 한원장에게 대입해서 그 일기를 썼다는 뜻이 된다. 그렇다면, 치과청소부에 대입되는 인물은 그 일기를 쓴 한효정이 아니다.

그렇다면, 치과청소부의 정체가 한효정이 아니라면, 한효정이 설정한 가상의 치과청소부의 정체는 과연 누구란 말인가?

정하.

정하는, 아마 거의 박정하 부원장일 가능성이 구십구 프로에 가깝다. 그렇다면, 이 일기 속에서 벌어진 사건들의 당사자들은 서로의 이름이 뒤바뀐 상태로 이 이야기를 이끌어가고 있는 셈이 되는 것이다. 현실에서는 치과청소부가 한효정, 즉 한이현이고 박정하 부원장이 바로 한원장이다. 반대로 일기에서는 박정하 부원장이 치과청소부가 되고, 한효정 즉 한이현이 원장이 되는 것이다.

아마도 한효정은 일기 속에서 어떻게든 정하, 혹은 박정하라는 이름을 치과청소부의 이름으로 써넣고 싶었을 테지만 그러지 않았거나 그러지 못했거나 둘 중 하나였을 것이다. 여기까지 생각하자 과연 한효정과 박정하가 어떤 관계였는지가 궁금해졌지만, 현재로서는 아무것도 드러난 것이 없다. 박정하 부원장은, 아마 채유나 원장과 마찬가지로 자신의 최하층 고용인에 관해 아는 게 없다고 딱 잡아뗄 가능성이 높다. 그리고 그것은 어쩌면 진짜일 수도 있다. 반드시 한효정과 박정하 부원장 사이에 모종의 관계가 있었으리라는 법은 없는 것이다.

그렇게 생각하던 차에, 마침내 결정적인 실마리가 드러나게 되었다.

"한효정 말인데요. 박정하 부원장이 전근해오기 전 병원에서도, 박정하 부원장과 같은 병원에서 치기구 세척사로 일했던 전적이 있더라고요?"

"거기까지 수사를 했던 거야?"

"아, 저희가 알아낸 게 아니고, 제보가 들어왔어요. 한효정의 지인들 중에, 한효정과 박정하 부원장을 아는 사람이 있었는데요. 한효정이 죽었다는 얘길 듣고 자진해서 경찰서에 와서는 자기가 아는 얘기를 하기도 하고 이것저것 캐묻기도 하다가 알아낸 거예요."

"그랬군."

"한효정하고 박정하 부원장이 그때부터 아는 사이였대요. 그러다가 박정하 부원장이 병원을 옮기면서 한효정도 일을 그만뒀는데, 무슨 이유에서인지 갑자기 한효정이 다시 박정하 부원장의 병원으로 들어와서 치과청소부 일을 시작했다고 해요. 그리고 정도영 실장 말로는, 채유나 원장에게 한효정을 추천한 사람이 다름아닌 박정하 부원장이었다고."

그러니까 두 사람이 서로 아는 사이였던 건 확실하다.

하지만, 단순히 아는 사이였다는 것만으로는 두 사람의 관계를 정확히 파악할 수가 없었다. 친구? 아니면 연적? 아니면 이해 관계로 엮인 원한관계? 여기까지 생각했을 때 내게 수사 결과를 얘기해주던 동료의 목소리가 살짝 낮아졌다. 그는 내 쪽으로 몸을 구부리고 거의 소곤대는 목소리로 말했다.

"한효정의 지인이 들려준 대로라면, 한효정이 바이였을 가능성이 상당히 높습니다. 박정하 부원장과 그렇고 그런 관계였을 가능성도 상당히 다분하고요."

처음에는 말도 안 되는 소리라고 생각했다.

그러나 빈약한 정황 증거를 토대로 추론해 볼 때, 아니라고 단정지을 수도 없는 노릇이었다.

어쩐지 난처했다.

동성에게 성적인 매력을 느낀 기억이 단 한 번도 없는 내 입장에서는, 남자든 여자든 동성애자들이란 철저한 몰이해의 대상이었다. 만약 마음만 먹는다면 한효정과 박정하 부원장의 지인들을 통해 두 사람의 관계에 대해 좀 더 상세한 정보를 알아낼 수도 있었겠지만, 나 스스로 나서서 그렇게까지 해야 할 이유는 없었다. 게다가 그 사건을 맡은 내 동료가 전하는 바에 따르면, 그 지인이라는 사람들도 '좀 그런 것 같더라'는 선에서 말을 아낄 뿐, 두 사람의 관계를 두고 정작 이렇다 할 뚜렷한 주장을 펼치거나 명확한 증언을 해 온 사람은 없다는 것이었다. 아마도 그들로서도 두 여자의 공적인 관계 이상의 '어떤 관계'에 대해 명확하게 아는 바가 없었기 때문인 듯했다.

그런 상황에서, 정도영 실장이 웬일로 내게 만나자는 연락을 해 왔다. 내게서 가져간 한효정의 일기의 사본을 돌려주겠다고 했다. 처음에는 사본을 굳이 돌려줄 필요는 없다고 말하려다가, 생각을 바꿔 선선히 응했다. 일기를 돌려주겠다는 건 핑계일 뿐, 그가 나를 은밀히 만나고자 한다는 걸 뒤늦게 깨달았다.

경찰서 앞에서 만난 정도영 실장은 처음 보았을 때보다 눈에 띄게 불안한 기색이었다. 뭔가 모르게 마음고생을 심하게 한 흔적이 역력했다. 눈이 움푹 들어가고 뺨이 패이고 턱수염이 까슬하게 돋아난 꼴이 전형적인 속앓이를 한 사람의 까칠해진 몰골 그 자체였다. 일부러 흡연실에 있는 카페로 들어가 담배를 권했지만 그는 고개를 내저었다.

"미친 여자예요. 그 여자."

"한효정 말입니까?"

"네. "

"정확하게 무슨 근거로 그런 말씀을 하시는지는 모르겠습니다만, 그 일기의 내용에 대해서는 혹시 읽고 짐작가는 바가 없으셨는지요?"

"그건, 그냥 그 여자가 본인이 원하는 판타지 같은 걸 제멋대로 끄적거린 포르노일 거예요. 그래요. 맞아요 그 년은 미친 년이 아니라 그냥……"

뒤이어 정도영 실장은 내가 굳이 이 자리에서 들먹이고 싶지 않은 더러운 욕지거리를 해댔다. 소설 속에서 한이현 원장이 박정하(라고 믿고 싶다)에게 했던 것과 별로 다르지 않은, 그런 욕들 말이다.

"그러니까 그 일기는, 요컨대 사실과는 철저하게 무관한 일기라는 거군요."

"저로서는 그렇게 생각할 수 밖에 없어요."

"그리고 박정하 부원장님과도 무관하고요."

박정하 부원장의 이름이 거론되자 정도영 실장의 표정이 다시 눈에 띄게 달라졌다. 정확히 말하면, 인상이 불시에 험악해졌다고 하는 편이 맞겠다. 그는 눈을 부릅뜨고 나를 노려보았다. 잠시 후 그는 낮게 내리깐 목소리로 되물었다.

"거기서 갑자기 부원장님 이름이 나오는 이유가 뭡니까?"

"진정하시죠. 갑자기 왜 이러십니까?"

"거기서 박 부원장이 갑자기 왜 나오냐고!"

난데없이 신경질적으로 돌변한 정도영 실장의 태도에 놀란 사람들이 일제히 그를 돌아보았다. 그는 손으로 힘없이 얼굴을 감쌌다. 자리를 옮길 필요를 느낀 나는 그를 데리고 근처의 술집으로 향했다.

그러나 막상 술집으로 들어서자 어쩐지 술을 마실 기분이 나지 않았다. 결국 생맥주 한 잔을 주문하고 나서, 나는 정도영 실장이 다시 침착한 태도를 되찾는 동안 참을성을 가지고 기다려야 했다. 마침내 정도영 실장은 담배를 청했고 나는 순순히 그에게 담배를 건넸다.

"제가 왜 박정하 부원장님을 거론했는지를 말씀드리자면."

"……"

"아마, 그 일기의 사본을 가져가셔서 잘 모르셨겠지만, 일기의 원본인 노트 뒷면에 박정하 부원장의 이름이 있었습니다."

"뭐라고요?"

"왜 그렇게 놀라십니까?"

"정말, 거기에 부원장님의 이름이 있었어요?"

"정하, 라는 이름이 적혀 있었지요. 아무리 봐도, 박정하 부원장님이 아닌 다른 사람을 가리키는 건 아닌 것 같은데요. 아닙니까? 이제라도 원본 노트 뒷면 보여 드릴까요?"

"단지 그뿐입니까? 박 부원장님을 이 사건에 끌어들이는 이유가?"

"잠깐만요. 누가 박 부원장님을 이 사건에 끌어들인다는 겁니까?"

"형사님이요. 그게 아니면 왜 박 부원장님을 계속 들먹이시는지……"

"그분이 이 사건과 무관하다면, 저로서는 그분을 끌어들일 이유가 없습니다. 그보다 정실장 님, 아까부터 박 부원장님 얘기만 꺼냈다 하면 신경질을 내시는데, 대체 왜 그러시는 겁니까? 아직까지 박 부원장님이 연루되었다는 증거는 아무것도 나온 게 없습니다. 그런데 왜 이렇게 지레짐작으로 화를 내시는 겁니까?"

"화를 내는 게 아니라……"

눈에 띄게 초조해하는 그를 느긋하게 지켜보는 동안, 나는 이 사건이 어쩌면 생각보다 단순하거나, 혹은 생각보다 훨씬 복잡한 사건이 될 수 있겠다고 생각했다. 이윽고, 그는 한숨을 내쉬며 담배를 비벼 끄고는 초췌해진 몰골에도 불구하고 잘생긴 얼굴로 나를 똑바로 쳐다보며 말했다.

"사실은 제가, 박정하 부원장님을 짝사랑했습니다."

"아니 뭐 그런 고백을 듣자고 드린 질문은 아니고……"

"만약, 박 부원장님이 범인이라고 하면, 형사님은 대체 어떻게 하실 생각이십니까?"

"아 뭐, 저로서는 딱히 계획이랄 건 없습니다. 그 사건이 제 담당도 아니고요. 저는 다만 그 일기에 흥미를 느껴 그 일기에 나오는 인물들을 찾아다녔을 뿐입니다. 하지만 뭐, 당사자인 한효정은 죽었고 나머지는 다 허구의 인물들이네요? 하다못해 그 일기에 나오는 치과청소부조차도 실제의 한효정과는 전혀 다르구요? 대체 어떻게 된 건지는 모르겠지만, 아, 실장님. 실장님은 한효정의 필명이 한이현인 걸 알고 계셨습니까?"

"네?"

"한효정이 다큐 작가로 일할 때, 한이현이라는 이름을 썼던 걸 알고 계셨느냐는 말입니다."

순간 정도영 실장이 내게 지어 보인 표정은 말 그대로 '대체 이게 무슨 개소리냐'고 되묻는 표정 그 자체였다.

"그건 또 처음 듣는 얘긴데요."

"그러니까 제 생각에는."

웨이터가 가져 온 생맥주를 잔째 정도영 실장 앞으로 떠밀고, 나는 담배를 꺼내 피워물며 입을 우물거렸다.

"그 일기는, 한효정이 쓴 건 맞긴 한데, 아마 역할이 서로 바뀐 것 같습니다? 한효정은 한이현이라는 이름의 남자 의사 역으로, 그리고 박정하 부원장은 힘없는 치과청소부 역으로."

"비약이 너무 심하신데요. 그건 말도 안 됩니다."

"비약이 심한 건 저도 인정합니다. 하지만 나이를 두고 보자면, 그 일기 속에서 치과청소부의 나이와 박 부원장의 나이, 그리고 한이현 원장과 한효정의 나이가 어느 정도 비슷하게 맞물리는데, 실제로도 박 부원장님이 한효정보다 나이가 적지 않으셨던가요?"

"아마 그럴 겁니다. 하지만 아무리 그래도……"

"물론, 이 일기 속에서 한원장은 남자로 나오네요? 참 교묘하게 가릴 걸 잘 가려가며 쓴 것 같습니다. 물론 이건 어디까지나 모두 제 생각입니다만. 실장님, 저는 누가 한효정을 죽였는지에 대해서는 별로 관심이 없고 알고 싶지도 않습니다. 하지만 이 일기에 대해서라면 얘기가 좀 달라요. 실장님은 아마, 한효정과 박 부원장님 관계에 대해서 다른 사람들보다 조금은 더 많이 알고 계시겠지요? 박 부원장님 애인이라고 하시니까 더욱더."

"애인, 아닙니다."

정도영 실장이 힘없이 대답했다.

"제가 그냥 짝사랑한 겁니다. 처음 오셨을 때부터 주욱."

"처음 오신 게 언제인가요?"

"재작년 가을 무렵이었다고 기억합니다."

"그분, 결혼하신 것 같은데 아닌가요?"

"네. 결혼도 했고 딸도 있습니다."

"아하. 유부녀를 짝사랑하는 총각이라. 슬픈 스토리군요."

어리고 예쁜 여자들이 도처에 널리고 널렸을 텐데 왜 그 하고많은 여자들 다 냅두고 하필 직장상사인 유부녀 치과의사냐는 질문은 그냥 머릿속으로 꿀꺽 삼키기로 했다. 그러고 보니, 죽은 한효정에게도 어쩌면, 그 질문은 유효한 질문일 수 있었겠다는 생각이 들었다. 오매불망 자신만 바라보는 듬직한 약혼자가 있었는데도, 왜 자신의 직장상사인 게다가 자기보다 나이도 어린 유부녀……치과의사냐 말이다.

"한 가지만 대답해주시면 됩니다."

"뭡니까?"

"박 부원장님하고 한효정, 연인이었나요?"

"정도영 실장은 눈을 질끈 감았다. 잠시 후, 그는 눈을 뜨지 못한 채로 고개만 끄덕였다. 그렇다면, 범인은 박정하 부원장일까. 조금 전, 만약 부원장님이 범인이라면 어떻게 할 거냐고 묻던 정도영 실장의 질문이 떠올랐다.

"그렇군요. 대충은 어떻게 된 일인지 알 것 같습니다."

"증거가 나왔나요?"

"뭐가요?"

"박정하 부원장님이 범인이라는 증거 말입니다."

한효정의 시신이 발견되기 전날, 정도영 실장이 모는 차가 한효정의 시신이 발견된 야산 근처의 톨게이트를 통과한 정황이 드러났다. 그로부터 약 서너 시간 정도의 간격을 두고, 박정하 부원장의 차가 같은 톨게이트를 통과했다. 의심없이 그 두 사람이 유력한 용의자로 지목될 판이었지만, 그 선에서 수사는 지지부진한 상황이었다. 그 시간에 그 톨게이트를 통과했다는 사실만으로는 증거가 빈약했기 때문이다.

"실장님은, 박 원장님이 범인이라고 생각하십니까?"

"아니오. 그럴 리 없습니다. "

"어째서죠?"

"부원장님이 그 여자 때문에 많이 힘들어하셨습니다."

"많이 힘들어하셨다? 어떤 의미로요?"

"아시다시피, 사회적 신분이나 지위가 상당하신 분입니다. 지금은 제 외사촌누나인 채유나 원장님이 대표원장이지만, 올해 안으로 대표원장직을 부원장님께 넘길 예정이십니다. 부원장님 실력이 뛰어나다고 입소문이

나서서 병원을 찾는 환자분들이 많았습니다. 그뿐이 아닙니다. 남편분도 대학 교수님이고, 시댁과 친정 양가 모두 재력가에 명문가로 알려져 있습니다. 명실공히 성공한 상류 사회의 구성원으로서의 삶을 살고 계시죠."

"그렇군요. 그런데 그게 한효정 때문에 힘들어하신 것과 무슨 상관입니까?"

"생각해 보세요. 한효정 그 미친년하고 그렇고 그런 사이라는 게 알려지면, 그 분의 사회적 위신이나 체면이 뭐가 될지 생각해 보셨냐구요. 한효정이 남자라고 해도 그럴 판에, 여자하고 그렇고 그런 사이다, 동성애자다, 레즈비언이다, 이런 식으로 소문이 나 버리면……"

"그 정도는 충분히 커버하실 분으로 보였는데……"

"네?"

"전에 경찰서에 왔을 때 잠깐 뵌 기억이 나는데, 스캔들 같은 걸 무서워하실 분으로는 안 보였습니다. 하지만 정신적으로 힘드셨을 거라는 건 알겠습니다."

"박 부원장님은 누굴 죽이실 그런 분이 아닙니다. 본인도 아이가 있는데다가, 다른 직업도 아닌 의사가 아닙니까. 절대 한효정을 죽이신 건 그분이 아닐 겁니다."

"어차피 증거도 나온 게 없고 하니까, 그렇게 염려하실 것 없습니다. 제 생각에도, 박 부원장님이 손수 한효정을 죽였을 거라고는 생각되지 않거든요."

"그러면, 사람이라도 써서 죽였단 말입니까?"

아까의 신경질적인 태도와는 달리, 슬그머니 나를 떠보는 듯한 말투로 그렇게 되물어오는 정도영 실장의 눈빛을 나는 놓치지 않고 포착했다. 그렇다. 한효정의 치정관계가 아닌, 한효정의 살인에 연루된 자는 바로 이 자다. 어떤 식으로 연루되어 있을지는 모르겠지만, 어쨌든.

"그거야 모를 일이죠."

물론 제3의 범인이 있을 가능성은 배제할 수 없었지만, 어쨌든 한효정의 사망일자로 추정되는 날 그 야산으로 이어지는 톨게이트를 통과했다는 건 그들, 박정하 부원장과 정도영 실장에게 일말의 혐의를 부여할 실마리가 된 셈이었다.

그러나 무슨 이유에서인지, 사건의 조사를 전면 중지하라는 상부의 지시가 떨어지면서 그들에 대한 본격적인 취조 심문이 시작되기도 전에 한효정 살인사건은 미제 사건으로 남게 되었다. 모두가 의아해하면서도, 한편으로는 고개를 끄덕였다. 외압의 가능성이 다분했던 것이다. 그러나 그 외압에 섣불리 대항할 수 있을 만큼 용감한 경찰은, 적어도 내가 아는 한 우리 서에서는 단 한 사람도 존재하지 않았다.

어느 날 밤 조용히 걸려 온 한 통의 전화가 아니었다면, 나는 이 사건이 외압을 받아 수사를 강제종료한 정황에 대한 아무런 단서도 포착하지 못한 채 속절없이 이 사건을 잊어야 했을 것이다. 전화를 걸어온 사람은 성욱이였다. 권 기자와 나의 술자리에 몇 번이나 동석했던 그 권 기자의 후배 성욱이 말이다. 늦은 시간이었지만, 나는 은밀히 만나자는 그의 제안에 두말없이 응했다.

장소는 뜻밖에도 경찰서 부근 편의점이었다. 편의점 뒷마당으로 펼쳐놓은 파라솔 아래 음주와 흡연이 마음껏 허용되는 그 곳에서, 권 기자 없이 단독으로 나와 대면한 그는 전에 없이 얼굴이 수척해 보였다.

"한효정이 쓴 그 노트 말인데요."

"결국 그 얘기 하자고 부른 거야? 그거 수사 종료됐어."

"종료됐어요? 왜요?"

"몰라. 외압이 있었던 것 같은데, 윗선에서 더는 묻지 말라고 자르더라네? 애초 내 담당이 아니었으니 나도 어떻게 할 도리가 없었고."

"역시 그랬구나."

"역시 그랬구나, 라니? 꼭 이럴 줄 알았다는 듯이 말하네?"

성욱이는 한숨을 내쉬며 고개를 끄덕였다.

"권 선배는 형사님한테 얘기하지 말라고 했지만, 제 생각에는 형사님도 알고 계시긴 해야 할 것 같아서."

"……"

"그 노트, 필적 감정 결과대로 한효정이 쓴 게 맞는 것 같아요. 소설도 아니고, 다른 사람 얘기도 아니고 한효정 본인 얘기 말이에요."

"하지만 실제로 일어난 일들하고는 전혀 다르잖아."

"맥락은 비슷해요."

"뭐?"

"그 병원, 한효정이 치과청소부로 일했던 그 병원이, 올해 초에 방송을 탔었거든요. 그러니까, 무슨 <진취적인 여성들>이라고 해서, 커리어 우먼들의 라이프를 다루는 뭐 그런 다큐멘터리였는데, 거기에 그 병원 원장하고 부원장이 출연했었대요. 심지어 병원 이름까지 내걸고."

"그 정도면, 거의 무슨 병원 홍보방송 수준이었겠네?"

"그렇죠. 그래서 뒷말도 많았었나 봐요. 그게 좀 이상해서 뒤를 캐봤더니, 역시나였어요. 담당 피디를 만나서 얘기를 해봤는데, 그 방송 원래는 기획의도가 그게 아니었대요. 원래는 의료기관들의 비리를 다루는 시사 다큐를 준비했었는데, 갑자기 기획의도를 바꿔서 전혀 다른 걸 준비하라는 지시가 떨어졌대요."

"뭐?"

"그 때문에 엄청 애먹었다면서, 십원짜리 욕을 바가지로 하더라고요. 기획의도를 바꾸면 판을 완전히 갈아엎고 처음부터 다시 짜야 하는데 그게 애들 장난이냐면서."

"그게 한효정하고 대체 무슨 상관이야? 그 기획의도가 갑자기 바뀐 게 한효정하고 무슨 상관이 있기라도 하다는 거야?"

"한효정이 다큐 작가였잖아요. 작년 말쯤에 한효정이 H방송 보도본부장을 만난 정황이 나왔어요. 아무래도 뭔가 리베이트가 의심스러운 상황이죠? 돈이든 뭐든 간에?"

"돈이라……어쩐지 돈은 아닐 것 같고."

"그겁니다. 돈이 아니었던 것 같아요. 그러면 뭘까요?"

더 물을 필요도 없다.

그렇다면, 한효정 사건이 외압을 받고 수사를 중단하게 된 이유는 두말할 필요가 없다. 전직 다큐멘터리 작가였던 여성은, 아마도 정체를 알 수 없는 권력가에게 (그 누군가가 꼭 보도본부장이었으리라는 법은 없다) 무엇인가는 자신에게 있어 소중했을 어떤 것을 빼앗겼을 것이다. 돈이든, 몸이든, 혹은 유능한 작가였던 한 여성으로서의 자존심이든 간에 말이다.

이유가 뭘까.

힌트는 정도영 실장으로부터 이미 얻었다. 박정하 부원장이다. 이미 드러난 정황을 놓고 추론해 볼 때, 달리 생각해 볼 여지가 없는 이유였다. 물론, 그녀가 단지 자신의 여자 애인을 위해서 그렇게까지 해야만 했느냐는 질문을 한다고 한들, 어디에서도 대답을 들을 가망은 없다. 그러면.

이제 와서 밝혀진 사실을 근거로 사건의 수사를 재개해 진실을 파헤칠 힘이 내게 있느냐고 묻는다면, 역시 대답은 노(no)다. 나는 일개 형사에 불과하고, 이미 위선으로부터 떨어진 외압에 의한 명령에 불복할 힘은 내게 없다. 비단 이 사건뿐만이 아니라 내게는 그 어떤 진실도, 당장의 내 밥벌이, 내 초라한 사회적 지위, 형

사라는 어줍잖은 신분(생계수단을 겸한)보다 더 중요할
수는 없다. 그것은 비단 나만이 아닌, 이 세상의 대다수,
어쩌면 절대다수의 사람들에게 있어 풀 수 없는 수갑
같은 현실이다.

3부

두 겹의 마스크

-정도영 실장의 기록

3부

두 겹의 마스크

-정도영 실장의 기록

1

정신분석학에서 입은, 사람의 욕망으로 해석된다고 하
는 말을 어디에선가 얼핏 들은 기억이 있다. 정신분석
학 따위는 신봉하지 않지만, 일렬로 늘어진 체어에 앉
아 초록색 소공포를 덮고 누운 사람들의 벌어진 입을
보고 있노라면 어째서인지 그 말을 자꾸 떠올리게 된다.
결국 내가 보고 있는 건 일렬로 나열된 거대한 욕망의
구덩이들에 불과한 것이다.

욕망의 구덩이, 밑빠진 독, 끝없이 무엇인가를 꾸역꾸
역 집어넣지 않고서는 견뎌내지 못하는 검붉은 수렁들
이 역겹다. 그럼에도 불구하고 나는, 이 헤벌어진 욕망
의 구렁텅이들을 벗어나지 못한다.

뽑혀져 나온 병든 욕망의 찌꺼기는 라텍스 장갑과 더러워진 핀셋과 함께 트레이에 담겨 나온 후 여지없이 의료폐기물 박스에 버려진다. 과히 즐거운 작업이 아니다. 아니, 오히려 그 일을 하고 있는 나이 어린 여자애들-치위생사라는 직함을 단-을 보면 안쓰러워질 정도다. 그런 의미에서, 자질구레한 허드렛일을 도맡아 할 치기구 세척사의 필요성에 대해서는 적극 공감했던 바가 있다. 청소도 하고, 치기구도 세척하고, 소독실에서 필요한 물품을 관리하고 수술실에서 나온 도구들을 정리하기도 할 일종의 '하녀' 말이다.

몇 사람이 들어왔지만, 그들은 번번히 치위생사들의 텃세를 감당하지 못하거나, 혹은 자신들의 해야 하는 업무의 역겨움을 이기지 못하거나, 혹은 근무 조건의 불만족 등으로 대부분 오래 버티지 못하고 나가곤 했다. 그러다가 꽤 얌전하고 착실한 아주머니가(꽤 나이가 들었던) 들어왔다. 그녀는 꽤 오랫동안 일을 잘해 주었고, 모두가 그녀를 좋아했지만, 박정하 부원장이 부임해 온 무렵쯤 해서는 일을 그만둬야 할 처지에 이르렀다.

박정하 부원장, 내 외사촌누나이자 내가 일하는 치과의 대표원장인 채유나 원장의 후배, 치과대학의 레전드였던 초특급 엘리트, 이미 인턴 때부터 실력있는 여의사로 소문이 자자했던 그 박정하 부원장을 맞대면하던 그날을 잊지 못한다. 그녀를 처음 본 순간, 머릿속에서 전류가 흘렀다. 지금까지 내가 보아 온 내 또래 여자들이나 나보다 어린 여자애들, 진절머리나도록 보아 온

어린 치위생사 계집애들이며 학교 선배라는 타이틀을 단 몇몇 연상녀들 중 그 어느 어떤 여자들에게서도 박정하 부원장에게서 받은 그런 느낌을 받지 못했다. 큰 키에 날씬하고 당당한 체구, 차가운 미소, 긴 팔다리에 희고 매끈한 피부와 단번에 드러나는 날렵한 목선을 가진 그녀는 무섭도록 섹시하고 카리스마적이었다.

말하자면, 나는 그녀에게 제대로 '꽂힌' 셈이다.

그러나 당연한 얘기지만, 나는 내 감정을 철저하게 숨겨야 했다. 생각해 보라. 숨막히게 돌아가는 사무적인 업무들, 틀에 박힌 대화들, 그나마 서로 잠깐씩이나마 깔깔거리며 웃을 수 있는 치위생사들 틈바구니에서 청일점인 나는 그들 사이에 끼어들 여지조차 없다. 이따금 나를 스쳐 지나가는 박정하 원장의 실루엣을 뒤돌아보며 나는 뛰는 가슴을 애써 억누르곤 했다. 그런 나의 마음을, 기가 막히게도 치위생사들 중 하나였던 계집애가 눈치채고 말았다. 어느 날, 체어에서 물이 샌 것을 계기로 한참이나 이런저런 뒷수습을 같이 하던 중 그 계집애는 웃으며 내게 물어 왔다.

"실장님, 박 부원장님 좋아하시죠?"

"뭔 소리야?"

"에이, 실장님이 박 부원장님 보시는 눈빛 보면 다 안다니까요."

원칙대로라면, 직장 동료와는 어떤 관계도 맺지 않는다는 철칙을 지키려 노력했었다. 그럼에도 불구하고 그 계집애와 잤던 건, 그 계집애의 입단속을 할 필요가 있어서였다. 잠자리에서 그 계집애는 내게 갖은 교태와 아양을 다 부렸다. 일을 끝낸 내가 숨을 몰아쉬며 돌아 눕자 그 계집애는 등 뒤로 나를 끌어안으며 속삭였다.

"저, 실장님하고 자고 싶었어요."

이제껏 어디서도 반론의 여지없이 인정받아 온 괜찮은 외모 덕에, 살아오는 동안 여자를 아쉬워했던 기억은 없다. 언제든 마음만 먹으면 손을 뻗을 수 있는 거리에 언제든 여자애들이 있었다.

하지만, 그 여자애들 중 박정하 부원장처럼 나를 애태운 여자애들은 없었다.

내가 입단속을 시키기 위해 함께 잠자리에 든 그 여자애는 처음에는 고분고분했지만, 날이 갈수록 교만해졌다. 동료들과 불화가 잦아지면서 같이 일하는 여자애들 사이에서 불평이 나오기 시작했다. 주로 돌아가며 분담해야 할 업무를 차일피일 미루거나 회피하며, 무슨 일이 있든 간에 실장님께 고자질하겠다는 식의 위협을 가해 왔다는 것이었다. 결국 내 누이인 채원장은 그녀를 해고했고, 병원은 다시 일상으로 돌아갔다. 물론, 해고당한 그 계집애와는 다시 연락하지 않았다.

하지만, 이런 일에 대해서는 나도 어지간히 강심장이 되어 있었다. 오히려 박정하 부원장을 향한 나의 감정이 외부에 알려진다 한들 아무 상관없다는 배짱까지 부릴 정도의 여유를 찾았지만, 다행히 그런 나의 속내를 아는지 모르는지 아무도 더 이상 내게 다가와 박정하 부원장을 좋아하느냐고 속삭이듯 캐묻거나 하지 않았다.

박정하 부원장이 부임한 지 약 두 달 가량이 지났을 때, 드디어 마음씨 좋은 여사님이 치기구세척 겸 병원 청소 일을 그만두었다. 그리고 나서, 그 여자가 들어왔다.

내 인생을 파멸로 몰아넣을 그 여자가 들어온 것이다.

2

박정하 부원장이라는 존재는 내게 있어 움직일 수 없는 나침반과도 같았다. 그녀에게 붙여 줄 만한 마땅한 별명을 찾다가, 병원 한켠의 책장에 꽂혀 있던 어린이용 그리스 로마 신화 책에서 <미네르바>라는 이름을 발견했다.

전쟁의 신 아테네를 로마식으로 번역한 이름이라고 했다.

물론 2008년 그 유명한 미네르바 사건의 당사자인 박모씨가 쓰던 필명이기도 하지만, 그 필명의 주인이 박씨여서 그랬을까, 미네르바라는 이름만큼 박정하 부원장에게 잘 어울리는 별명을 찾을 수가 없었다.

그때부터 나는 그녀를 미네르바라고 불렀다.

나의 미네르바.

새로 들어온 치과청소부 겸 치기구세척사는, 바로 그 미네르바의 천거를 통해 들어온 사람이라고 했다. 말하자면, 두 사람은 이미 이 곳에서 함께 일하게 되기 전부터 서로 알던 사이였던 것이다.

새로 들어온 치과청소부를 본 순간, 나는 또 한번 머릿속이 감전되는 것을 느꼈다.

아직 삼십대 초반이었던 나는 그렇게 많은 나이는 아니었지만, 워낙 많은 사람들을 만나왔던 덕분에 어느 정도 사람을 파악하는 직관적인 능력이 있었다. 그 말은 지금까지 만난 치과청소부들, 그러니까 이 병원을 거쳐간 치과청소부들 중, 돈이 궁해서 일을 하러 오는 평범한 중년 아줌마 이상의 은밀한 실체를 가진 여성은 단 하나도 없었다는 뜻이다.

그녀의 경우는, 그러한 전형적인 타입의 여성이 아니었다.

누나이자 병원장인 채유나 원장은 인사 문제를 전적으로 박 부원장과 내게 위임했고, 그 결과 나는 새로 온 치기구세척사의 이력서를 볼 기회를 얻었다. 그리고 내심 의아해했다. 어째서, 전직 다큐멘터리 작가였던 사람이 이런 곳에서 일을 하게 된 것일까? 나의 미네르바는 그 부분에 대해서는 별다른 말을 하지 않았다. 필요하다면 다른 사람을 구해도 좋다고까지 말했지만, 딱히 마땅한 다른 사람을 찾지 못한 결과 그녀는 결국 나와 나의 미네르바가 일하는 병원에서 일하게 되었다.

일을 할 때는 언제나 마스크를 쓰고 유니폼을 입었기 때문에, 그녀의 대한 인상은 대체로 흐릿하다. 그래서인지는 모르지만, 그녀에 대한 총체적인 이미지를 한 마디로 요약하라면 그저 '묘하다'는 형용사 이외에는 달리 표현할 길이 없다.

그녀는 묘한 사람이었다.

누군가 말을 걸면 마스크를 살짝 끌어내리고 입을 보이며 귀를 기울이다가, 말이 끝나면 알 듯 모를 듯 엷은 미소를 지었다. 상냥하지만 어딘가 모르게 서글퍼 보이는 미소였다. 그러나 연약해 보이는 느낌은 없었다.

오히려 그 반대로, 카리스마라면 어느 누구에게도 지지 않을 나의 미네르바에게도 밀리지 않을 정도의 포스가 느껴질 때가 더러 있었다. 처음 얼마간은 일이 서툴렀지만, 어느 정도 일이 숙달된 시점에서 그녀는 기민하고 빈틈없고 야무지게 자신이 맡은 일을 해냈다. 그녀는 자신의 가장 중요한 임무가 무엇인지를 잘 알고 있었다. 되도록 의사들과 치위생사들을 번거롭게 만들어서는 안 된다는, 그들을 되도록 편하게 일하게 해 줘야 한다는 그 임무 말이다.

"확실히, 좀 이상한 구석이 있긴 해요."

치위생사들의 팀장격인 시니어 치위생사 소연 팀장이 내게 그렇게 말해왔다.

"뭐가요?"

"그냥 어딘가 모르게……이런 일할 사람으로는, 안 보여요. 왜 그런지 모르지만, 편하지 않아요. 편하게 대하기에는 뭐랄까."

"묘하게 품위가 있죠."

"그런 건지는 모르겠지만, 아무튼 뭔가 편하지는 않아요. 당장 우리랑 같이 밥을 먹지 않으려는 것도 그렇고."

일주일에 한번, 야간진료 시간에 치위생사들이 다 같이 모여 밥을 먹을 시간이면 그녀는 어디론가 혼자 나갔다가는 다시 되돌아오곤 했다. 청소를 비롯해 다른 자질구레한 일들을 도맡아 했지만, 단 하나 쓰레기를 비우는 일만큼은 극구 거부했다. 그 부분에 있어서는 나와 치위생사들이 돌아가며 해결할 수 있었던 부분이라 별 불만이 없었지만, 그녀가 월급을 깎아도 좋으니 쓰레기만은 버리지 않게 해 달라고 했다는 말을 들었을 때 나는 속으로 참 희한한 별종도 다 있다고 생각하며 혀를 찼다.

처음에는 쓰레기가 더러워서 그러나 보다고 생각했지만, 그보다 훨씬 더 더러운 것들 -이를테면 헤파(전염성 질환의 통칭) 환자의 수술도구 꾸러미-을 아무렇지도 않게 맨손으로 치우는 모습을 보며 단지 더럽다는 이유만으로 쓰레기 비우기를 거부하는 건 아니라는 걸 알았다. 그 이외에도, 치위생사들의 제보와는 별개로 그녀에게는 분명 타인의 이목을 끌게 하는 어떤 묘한 구석이 있었던 게 사실이었다.

정신을 차리고 보니, 그녀에게 꽤나 많은 주의를 기울이고 있는 자신을 발견하고 문득 놀랐던 기억이 있다.

3

"정실장님, 이 가위, 어디 가면 구할 수 있을까요?"

어느 날, 한선생(이때까지만 해도 한효정 선생을 한선생이라 부르고 있었다)이 수술용 외과가위의 날을 한껏 벌려 보이며 내게 물었다. 나는 거의 하루의 대부분을 기공실 혹은 데스크에서 보냈고, 한선생이 주로 일하는 소독실에 들어올 일은 거의 없었지만 그날은 필요한 물품을 체크하기 위해 잠시 소독실에 들른 참이었다.

"그 가위는 어디다 쓰시게요?"

"호신용으로 쓰려고요. "

"그 가위를요?"

다른 하고많은 호신용 무기를 놔두고 왜 하필 수술용 가위란 말인가. 한선생은 벌렸던 가위날을 오므려 접고는 손잡이를 잡아 위로 슬쩍 치켜들어 그 길고 가느다란 외과용 가위의 생김새를 요리조리 살폈다. 앞쪽이 새의 부리처럼 꺾어진 가위였다.

"이 가위, 참 예뻐요."

세상에 예쁜 게 어지간히도 없구나. 외과용 시저를 예쁘다고 탐내는 사람이라니. 세상은 좁고 별난 사람은 상상을 초월하게 많고,

그때부터 나는 한선생을 '한가위'라고 불렀다.

늘상 일회용 마스크로 얼굴을 감추고 일하는데다 하는 일이 워낙 눈에 띄지 않는 일인지라 여간해서 사람들의 눈에 띄지 않던 한가위는, 그럼에도 불구하고 차츰 이 병원에서 '은근히 유별난 존재'로 자리잡아갔다. 그

러나 정확하게 어떤 의미에서 유별난 거냐고 물으면 도무지 설명할 길이 없었다. 그녀는 그렇게 설명할 길 없이 묘하고 유별난 존재였다.

4

그때까지만 해도, 박정하 부원장, 즉 나의 미네르바가 원래부터 한가위를 알고 있었다는 사실을 별달리 수상히 여길 겨를이 없었다. 두 사람의 동선은 전혀 달랐고, 정말 어쩌다 한번이 아니고서는 하루에 두 번도 마주칠 일이 없는 터였다. 물론 한가위가 소독된 치기구를 수납하기 위해 진료실에 들어가야 하는 두 번의 타이밍이 있었지만, 나의 미네르바가 그때마다 매번 진료실에 있었던 것은 아니었으니까.

그리고 그 일이 아니었다면, 내가 그 두 사람을 수상히 여기고 그들을 주시하는 일은 없었을지도 모르겠다. 그랬다면 나는 내 인생을 파멸로 몰고 갈 극단적인 선택을 하지 않았을지도 모르겠다.

일단은, 그 일에 대해서 얘기하도록 하자.

여느 때와 다름없이 멸균 포장한 치기구를 수납하던 한가위는, 갑자기 당황한 기색이 역력한 표정으로 비품 창고 안으로 들어갔다. 그걸 수상히 여긴 내가 뒤따라 들어갔더니, 한가위는 비품 창고 구석에 앉아 양 손을 등 뒤로 돌린 채 쩔쩔매고 있었다. 두꺼운 유니폼 때문에 도무지 등 뒤로 돌아가지 않는 손을 억지로 등 뒤로 돌리려는 것을 본 나는 그녀가 어떤 곤경에 처했는지를 금세 눈치챘지만, 남자였기 때문에 그녀를 도와 줄 수가 없었다.

그때, 뜻밖에도 미네르바가 문을 열고 들어왔다. 그녀는 한가위를 보더니 약간 놀란 표정으로 한가위에 말을 걸어왔다.

"두 사람 거기서 뭐해?"

나는 한가위에게 들리지 않게 조그마한 목소리로 미네르바에게 속삭였다.

"속옷 끈이 풀어지셨나 봐요."

그 말을 들은 미네르바는 주저없이 성큼성큼 한가위에게 다가섰다. 쪼그리고 앉았던 한가위는 당황한 표정으로 일어섰고 미네르바는 주저없이 한가위의 티셔츠를 걷어올리고 등을 더듬더니, 재빨리 풀어진 브래지어의 훅을 찾아 날렵하게 끼웠다. 물론 내 쪽에서는 보이지 않도록, 자신의 등으로 한가위를 가린 채로.

그리고는 언제 무슨 일이 있었냐는 듯 성큼성큼 비품 창고를 나가 버렸다.

한가위는 잠시 당황한 듯한 혹은 원망하는 듯한 눈길로 나를 쳐다보았다. 그러다가 이내 그녀 또한 문을 열고 창고를 나갔다. 아연실색한 나만이 비품 창고 안에서, 실장님을 찾는 목소리가 들릴 때까지 넋을 놓고 있었다.

5

아무리 생각해봐도, 자신이 부리는 직원의 풀어진 속옷을 그렇게 서슴없이 채워주는 직장 상사란 그리 흔한 존재가 아니다. 설령 같은 여자끼리라고 해도 그렇다. 같은 직급의 친한 동료라면 그럴 수도 있을지 모르지만, 나의 미네르바와 한가위는 결코 그렇게 동등한 위치에 있지 않다고 생각한다. 적어도, 서슴없이 속옷 끈을 내맡길 정도로 허물없이 동등한 위치는 아니라는 뜻이다.

내가 본 게 도대체 뭘 의미하는 거였을까.

물론, 병원 밖에서는 어지간히 친한 사이였을 수도 있다. 내가 모르는 것일 뿐.

그 일이 있고 난 후, 사실은 며칠 동안은 너무나도 정신없이 바빠서 그 일에 관해 차분히 생각할 여유가 없었다. 그러니까 그때 그 기묘했던 상황에 대해 좀 더 깊이 생각해 보게 된 건 그 일이 있고 나서 약간의 시간이 흐른 다음이었다는 얘기다.

생각하면 할수록, 처음부터 끝까지 모든 게 묘하게 돌아갔다.

그래, 한가위 여사, 그러니까 효정 여사가 풀어진 브래지어 때문에 비품 창고로 들어간 것까지는 놀랄 일이 아니다. 하지만 나는, 대체 무슨 생각으로 효정 여사를 따라 그 비품 창고로 들어갔던가? 아마도 그때 그녀가 보여준 그 묘한 표정, 뭔가 불편해하는 기색이 역력한 그 표정은 분명 나를 자연스럽게 그 창고로 이끌게 하는 뭔가가 있었다고 생각한다. 그리고 그 다음에는. 박정하 부원장. 그녀는 아마 분명히 우리 두 사람이 동시에 창고로 들어가는 걸 이상하게 여겼을 것이고. 그녀가 따라 들어온 것도 아주 납득하지 못할 행동은 아니다.

하지만 그 다음에 벌어진 일들.

내가 미쳤던 거다. 남자인 내가, 박정하 부원장에게, 그토록 자연스럽게 효정 여사의 난처한 상황 -속옷 끈이 풀어진-을 일러주는 것을 듣고도 어느 쪽도 나의 무례함을 문제삼지 않았다. 그 상황에서는 내가 그냥 창고를 나와버리는 게 가장 적절했겠지만, 지금 와서 생각하니 그랬다면 오히려 더 큰 오해를 사지 않았을까. 어쨌든 두 여자는 남자인 나의 부적절한 행동을 덮고 넘어갔다. 바로 그들 사이에 오간, 더욱 부적절한 행동을 통해서.

여자끼리니까, 딱히 부적절했다고 말할 수는 없겠지만.

그러나 어떻게 생각해봐도, 그날 벌어진 일은, 곱씹으면 곱씹을수록 기묘하기만 했다. 그리고 결국은, 불쾌한 뒷맛을 남겼다. 결국 그 일을 계기로 나는 두 사람을 그 전보다 훨씬 주의깊게 살피기 시작했다. 박정하 부원장을 향한 나의 집착이 결국 나를 스토커의 길로 인도했다고 해도 과언이 아니다.

6

확실히 효정 여사, 우리의 치과청소부는 일손이 야무진 사람이 아니었다. 그 말인즉슨, 확실히 그녀는 이런 병원 쪽 일에 썩 잘 맞는 사람은 아니었다는 뜻이다. 그녀가 치기구 세척 일을 겸하고 있다는 사실을 잊어서는 안 된다는 전제하에 하는 말이다. 그러다 보니, 사소한 실수로 인해 더러 치위생사들에게 싫은 소리를 듣는 경우가 더러 있었다.

그럴 때면, 왜 그런지는 모르겠지만 마치 내가 그런 싫은 소리를 듣기라도 하는 것처럼 마음이 언짢아지곤 했다. 효정 여사를 좋아해서라거나 그녀에게 연민을 느껴서 그랬던 것은 절대 아니다. 그녀는 자신이 있어야 할 자리가 아닌, 마치 누명을 쓰고 감옥에 갇힌 죄수처럼 그녀에게 맞지 않는 자리에 와 있는 사람과도 같았다.

자신이 속한 공간에 자연스럽게 녹아들지 못하는 그 모습은, 나처럼 예리한 사람들에게 모종의 불편한 기분을 선사했다. '예리한 사람들'이라는 표현을 쓰는 이유는, 내가 느낀 것과 비슷한 류의 불편한 기분을 나 말고도 분명히 느낀 사람들이 있었기 때문이다. 바로 소연 팀장이 내게 언급했던 것도 그런 류의 불편함이었을 것이다.

이해할 수 없이 조바심이 났지만, 그런 나의 조바심을 비웃기라도 하듯 한효정은 그 모든 것을 묵묵히 감당해냈다. 사실 그녀가 저지르는 실수 중 우리가 뒷감당을 해내지 못할 실수는 그닥 없었기 때문인 탓도 있었을 것이다. 어찌됐건, 얼마간은 조용한 날들이 이어졌다. 때로는 효정 여사, 때로는 한선생, 내게는 은밀히 한가위라는 별칭으로 통했던 그 여자는 한효정이었고, 어쩔 수 없이 내게는 그저 '치과청소부'로만 기억될 수 밖에 없는 운명이었던 사람이었다.

그 치과청소부가, 내게 있어 그 이상의 의미를 갖는 존재가 되리라고는 그 당시에는 꿈에서도 상상조차 하지 못했음은 물론이다.

7

한효정이 어느 정도 치과청소부 겸 치기구세척사로서의 일에 익숙해지고 병원 내부가 무리없이 굴러갈 때쯤, 나의 외사촌누나였던 채유나 원장은 후배이자 부원장인 박정하, 즉 나의 미네르바에게 병원을 넘기는 방안을 진지하게 검토하고 있었다. 의사로서는 매우 유능했지만 경영에는 그다지 소질도 열정도 없었던 그녀는 사실상 병원 운영과 관련한 대부분의 권한을 박정하 부원장에게 위임하고 있었다. 그렇게 되면 사실상 병원의 오너가 채유나에서 박정하로 바뀌게 되겠지만, 그것말고는 아무것도 달라질 것이 없으리라는 것쯤은 누가 묻지 않아도 자명한 사실이었다.

"정말 아무것도 달라지는 게 없을까요?"

우리 치과의 대표원장이 곧 채유나에서 박정하로 바뀔 거라는 통보가 마침내 한효정에게까지 날아들었을 때, 그녀는 내게 이렇게 반문했다. 물론 내가 그 전에 '바뀌는 건 아무것도 없을 테니 걱정말라'고 그녀에게 위로 아닌 위로를 던진 다음이었다.

"딱히 부원장님이 뭘 바꿀래야 바꿀 수 있는 부분이 없을 테니까요. 굳이 바꾸자면……뭐 병원 리모델링 정도?"

"그 외에도, 달라지는 게 꽤 있을 거예요."

"예를 들면, 어떤 거?"

"글쎄……진상 환자들을 대하는 매뉴얼? 정하는, 그러니까 박부원장님은 보기보다 쿨한 성격이라……까다로운 환자들의 비위를 애써 맞추려 하지 않을 거야."

한효정은, 생각보다 박정하 부원장과 가까운 관계였다. 처음에 '정하는……'하고 이름을 부르다 얼버무리는 부분에서 어렵지 않게 그 점을 눈치챌 수 있었다. 그리고 이어서 덧붙인 말 또한 나의 확신을 더욱 강하게 뒷받침해 주었다.

"물론, 어떤 부분에서는 꽤 집요하기도 하지만. 저기, 실장님."

"네?"

"혹시, 리만 가설 알아요?"

"아, 들어본 적은 있는데……"

"리만 제타 함수의 자명하지 않은 근들의 실수부는 모두 이분의 일이다."

"아."

참으로 별난 여자라고 생각했다. 그런 걸 다 외우다니. 외모는 그렇게 별나다는 생각이 들지 않는 평이한 외모인데 말이다. 아니, 평이한 외모는 아니다. 사실은 찬찬히 뜯어보면 꽤나 아름다운 얼굴이다. 어쩌면 그 얼굴이야말로 그녀가 현재 자리한 위치와 가장 엇나간 부분이 아닐까 싶다. 매일 마스크로 얼굴을 가리고 일하는 치기구세척사에게 합당하다고 생각되는 얼굴은 아니다.

"이제 곧 증명될 거라는 얘기가 있어."

"그렇군요."

"그게 증명되면, 현재 우리가 쓰는 신용카드는 모두 못 쓰게 될 거래. 모든 암호가 일시에 풀려 버리기 때문에, 세상이 망할 거라고도 하더라구."

"재밌네요."

정작으로 내가 재미있어한 것은, 반높임말과 반말을 교묘하게 섞어 쓰는 한효정의 독특한 화법이었다. 결코 사람을 기분나쁘게 하지 않는.

"세상에 존재하는, 돈으로 해결할 수 없는 몇 가지 문제들 중 하나죠."

리만 가설뿐 아니라 모든 수학적 난제가 그러하다. 전세계 상위 일 퍼센트 부자들의 재산 전액을 내건다 한들 해결될 수 있는 문제가 아니다. 내가 그 말을 한효정에게 하자 그녀는 고개를 끄덕이며 웃었다.

"실장님도, 돈으로 뭐든지 다 할 수 있다고 생각해요?"

"네?"

"돈으로 해결할 수 없는 일은 없다고 흔히들 말하잖아. 리만 가설처럼, 엄연히 돈으로 해결할 수 없는 일들이 존재하는데도."

"하지만, 현대사회가 안고 있는 거의 모든 문제점은 돈으로 해결 가능하다, 고 생각하는데요?"

지금 생각해보면, 어째서 내가 그토록 빨리, 그리고 그토록 간단히, 그리고 그토록 허무하게 그녀의 질문에 대한 답변을 내놓았는지 알 수가 없다.

한효정, 치과청소부 한가위 여사는 내 대답을 듣고도 표정을 바꾸지 않고 잠시 뭔가를 골똘히 생각하는 눈치였다. 마침내 그녀는 쓴웃음을 지으며 가만히 고개를 끄덕였다. 그리고 마침 멸균이 완료된 멸균기를 향해 몸을 돌리며 말했다.

"실장님 말이 맞아요. 현재사회가 안고 있는 거의 모든 문제점은, 애당초 돈에서 출발하는 문제점들이니까. 해결책이 결국은 돈으로 귀결될 수 밖에."

8

한효정이 언급한 리만 가설에 대한 얘기는 이상하리만치 섬뜩한 여운을 내게 남겼다. 그 이유를 처음에는 이해하지 못했지만, 얼마 지나지 않아 그 이야기가 내게 남긴 섬뜩한 여운이 어느 지점에 있는지를 깨달았다.

'돈으로 해결할 수 없는'

그렇다. 세상에는 분명히, 돈으로 해결할 수 없는 문제들이 있었다. 그러나 돈으로 해결할 수 없는 그 문제들을 해결할 방법을 나는 알지 못했다. 그래서였을까. 정말 어리석은 짓을 해 버렸다고 생각하는 건, 그 다음 주에 있었던 회식 자리 때 나도 모르게 한효정이 했던 이야기를 그대로 지껄인 것이다. 그것도 박정하 부원장이 듣는 자리에서 말이다.

한효정은 그 자리에 없었다. 그 회식에 불참했기 때문이다.

어느 누구도 그녀가 그 자리에 없다는 사실을 애석해하거나 아쉬워하지 않았다. 치과청소부란 그런 존재인 거라고 생각하니 괜시리 울적해졌다. 따지고 보면, 실장이란 존재도 그보다 나을 것은 없다. 오히려 득시글거리는 여자들의 틈바구니에서 원하지 않는 청일점이 되어 그들의 비위나 맞춰주고 있을 필요가 없다는 점에서는 차라리 나보다 한효정 쪽이 더 나을지도 모르겠다. 박정하 부원장, 나의 미네르바가 없었다면 굳이 나올 필요조차 없었을 자리였다. 그 미네르바에게 리만 가설에 대해 얘기하자 그녀는 쓴웃음을 지었다.

"한효정 선생님께서 실장님한테도 그 얘길 하셨나 보네?"

"어, 알고 계셨어요?"

"그럼, 그 가설이 하루 빨리 증명되기를 기원하고 있는 사람들 중 하나거든."

"어째서죠? 그 가설이 증명된다는 쪽에 거액을 걸고 내기라도 하고 계신 건가?"

"아니, 그 가설이 증명되면 세상이 폭망할 거라고 하니까. 세상이 하루바삐 폭망하길 바라고 있는 거지."

"참 독특한 분이세요. 그분. 그분하고 개인적으로 잘 아시나 봐요?"

"잘 알지. 착한 사람이야. 나한테는 없어선 안될 존재지."

"없어서는 안 될 존재요?"

나와 대각선으로 마주보이는 자리에 앉아 있던 나의 미네르바는, 내 쪽으로 몸을 슬쩍 굽히며 의미심장한 눈웃음을 지어 보였다. 그리고는 달아오른 내 얼굴 가까이로 자신의 얼굴을 가져와서는 한껏 낮아진 목소리로 속삭였다.

"내 약점을 쥐고 있거든. 그것도 아주 단단히."

그 달이 다 가기 전, S본부에서 방영된 교양 다큐멘터리에 출연한 채유나 원장과 박정하 부원장을 보기 전까지 나는 그녀가 내게 했던 말의 의미를 다시 되짚어볼 겨를이 없었다. <진취적인 여성들>이라는 제목으로 편성된 5부작 다큐멘터리 중 한 편에 속하는 부분의 분량이었다. 남자들의 텃세에 굴하지 않고 당당하게 세상을 살아가는 여성들을 조명한다는 의도로 기획되었다고 하는 걸로 봐서는 요즘 한창 인기가 만발한 페미니즘 유행에 편성했다는 의혹이 다분히 짙었지만, 나중에 들려

온 얘기로 미루어 보아 처음에는 그런 기획의도가 아니었던 모양이었다.

그러나 기획의도 따위야 어쨌든, 품격있고 우아한 시사기획 다큐멘터리에 출연하는 행운을 거머쥔 두 여의사는 카메라를 통해 그들이 힘들게 쌓아올린 커리어, 즉 독립적이고 유능한 여자 치과의사로서의 직업적인 카리스마를 마음껏 과시할 수 있었다. 촬영은 환자가 많지 않은 날을 골라 서너 번에 걸쳐 이루어졌고, 나 또한 실장이라는 직함을 달고 잠깐의 인터뷰에 응하기는 했으나 본편과 관련이 없다고 판단했는지 본방송에서는 편집을 당했다. 물론 그 부분에 대해서는 추호의 미련이나 애석함도 없었다. 브라운관으로 얼굴이 팔려나가는 것을 즐기는 건 자기 과시욕 내지는 연예인병에 걸린 망상증 환자들이나 할 만한 노릇이다.

실제로 방송에 출연한 분량만 놓고 보자면 단연 내 외사촌누나이자 현 대표원장인 채유나 원장의 비중이 압도적으로 많았다. 따라서 상대적으로 나의 미네르바인 박정하 부원장의 얼굴은 그리 많이 나오지 않았다. 하지만 실물과 마찬가지로 그녀의 당당하고 압도적이며 위엄있는 아름다움은 카메라를 압도했다. 그 점에 대해서는 이미 촬영을 마치던 날 카메라맨이 보여준 탄성을 통해 객관성을 입증받은 바가 있다. 구성작가와 담당피디가 저만치 물러나 있는 동안, 카메라 감독은 박정하 부원장을 촬영하는 내내 탄성을 연발했다.

"와 진짜 모델이 따로 없는데? 실루엣이 예술이야. 카리스마 작렬하고 말이야."

"이번 기획 컨셉하고도 딱 맞는 것 같은데요."

내가 별뜻없이 던진 그 질문에 카메라 감독은 의외의 대답을 해 왔다.

"사실, 원래는 이런 의도가 아니었는데⋯⋯갑자기 왜 이런 쪽으로 방향을 틀었는지 당최 알 수가 없단 말이야."

"갑자기 이런 쪽이라니요? 방향을 틀다니 그건 무슨 소린가요?"

"원래는, 병원이나 학원처럼 직업적인 윤리성이 요구되는 업종들의 사익 추구와 그에 따르는 비리 등등을 고발하는 게 당초의 기획 의도였거든. 그런데 갑자기 확 바뀌었어. 담당 피디 말로는 윗선에서 무조건 바꾸라는 지시가 떨어졌다잖아. 별 수 있나. 우리야 하라면 하고 까라면 까는 족속들이니까."

그때까지만 해도, 알지 못했던 거다. 그 다큐멘터리, 갑자기 기획의도를 난데없이 바꿔 진행한 그 다큐멘터리의 배후에 한효정이 있었다는 사실을.

9

어둡고 음습한 장소에서 벌어지는 여자들끼리의 은밀하고 추잡한 행위에 대해서는 두 번도 더 말하고 싶지 않다. 하지만, 그날 밤 내가 본 것들은 그냥 덮어 묻어 버리기에는 너무나도 나의 뇌리에 생생한 충격으로 남고 만 것들이라, 끝까지 언급을 회피하기란 사실상 불가능하다. 그냥, 생각나는 대로, 최대한 정확하게 기록해두기로 한다.

"실장님, 의리없이 혼자 피우기야? 나도 한 개피만 줘."

늘 그렇듯, 병원에서 곧장 이어지는 옥상 층계참의 돌아진 모퉁이에 숨어 혼자 담배를 피우던 내 앞에 불쑥 한효정이 나타났다. 마스크를 끼지 않고 있었다. 평소에 두 겹의 마스크를 쓰고 일하는 그녀답지 않게 맨얼굴로 나타난 것만 해도 놀라운데, 담배까지 피울 줄은 정말 몰랐다. 그럼에도 불구하고 담배를 청하는 그녀가 고깝다거나 얄밉게 생각되지 않았다. 정말이지 전혀 위화감이라고는 느껴지지 않는다는 사실이 놀랍기까지 했다.

내가 말없이 담배를 내밀고 불을 붙여주자 그녀는 고개를 젖히고 허공으로 담배 연기를 뿜어 올리며 웃었다. 그 모습이 무척 섹시해 보였다. 아마 미네르바도 담배를 피운다면, 저런 섹시한 표정으로 피우지 않을까 싶어 몸이 움츠러들었다.

"갑자기 담배 내놓으라고 해서 놀랐죠? 미안해요."

"아니에요. "

정말이지, 그때까지만 해도 그녀가 내게 미안해할 이유는 전혀 없었다.

"나, 담배 피우는 사람이라서 놀랐죠?"

"아뇨. 묘하게, 어색하지 않으셔서 그게 더 놀라워요."

그 또한 부인할 수 없는 사실이었다.

아마도 그때가 처음이자 마지막이었던 것 같다. 한효정이라는 사람을 가까이서 찬찬히 살필 수 있었던 시간은, 옥상으로 향하는 어두운 층계참 구석에 나란히 서서 담배를 피웠던 그때를 제외하고는 사실상 거의 없었다고 해도 과언이 아니다. 뭐라 설명하기 힘든 묘한 분위기는, 일하면서 오랫동안 보아 온 치위생사의 직함을 단 어린 아가씨들의 야들야들하고 앳된 분위기와는 완전히 달랐다. 남자를 아는 성숙한 여자들이 아니면, 절대로 풍길 수 없는 그런 매력을 발산하고 있음을 알 수 있었다. 내게 있어 그 매력이 여성으로서의 매력으로 작용하지 않았다는 건 어떤 의미에서는 다행이었고 어떤 의미에서는 유감이었다. 만약 내가 원한다면, 이 여성과의 잠자리가 그리 어렵지 않으리라는 생각이 들었다.

하지만 내가 원하는 여자는 이 여자가 아니다.

부드러운 어둠 속에 반쯤 몸을 녹여버린 듯한 느낌으로 그녀는 담배 연기를 섞은 한숨을 내뿜었다. 문득 그녀의 눈을 쳐다본 어느 순간, 고요하게 세상을 응시하는 그 시선에 선뜻 이해가 가지 않을 정도로 앙칼진 기운이 서려 있음을 나는 깨달았다. 그 시점에서 오래 전 내가 그녀에게 저지른 결례를 떠올린 것은 또 무슨 운명의 장난이었는지 모르겠다. 기회는 이 때뿐이라고 생각한 나는 그녀에게 즉각 사과했다.

"지난 번에 실례한 거, 죄송합니다."

"실례라니, 무슨?"

"그때 창고에 들어가셨을 때, 속옷 끈 풀어지신 걸 원장님한테 얘기해 버린 거……"

"괜찮아. 뭐 그런 걸 신경 써?"

"하지만, 그래도 남자가 뒤따라 들어오고, 속옷 얘기 막 입에 올리고 그런 거 싫으셨을 거잖아요."

"걱정되어서 들어온 거지, 일부러 뒤따라 들어온 거 아니잖아. 그리고 그런 결례는 어린 아가씨들이나 예민하게 따지는 거지. 실장님이 미안할 거 없어요."

"하지만, 저 그날 진짜 놀랐어요. 원장님이 바로 제 눈 앞에서 그렇게 풀어진 훅을 채워주시는 건……"

"아아, 그건 좀 창피했네."

"그러니까요. 그런 게 죄송했다는 거예요."

"그냥 화장실로 갔어야 했는데, 괜히 창고로 들어가는 바람에……"

"두 분, 원래 그렇게 가까운 사이셨어요?"

"알고 지낸 정도지 그냥. 지금은, 남의 눈도 있고 하니까 서로 친한 티 안 내려고 조심하는 거지. 아무래도, 정하는 어쨌든 부원장이고 난 말단 치기구세척사 이모니까, 서로 친한 척 해봐야 직원들이나 환자들 눈에 좋게 보일 리 없잖아?"

그건 아닐 거라고 반박하고 싶었지만, 한효정의 말은 부인할 수 없는 진실이었다. 그녀는 담배꽁초를 바닥에 내버리고 발로 짓이기며 말했다.

"게다가 서로 그렇게 마주칠 일이 많지도 않고."

"하긴, 그건 저도 그렇죠. 실장인 저도 말이에요."

한효정은 탐색하는 듯한 눈초리로 나를 바라보다가, 느닷없이 눈웃음을 치며 내게 한 마디를 툭 던졌다.

"실장님, 박 부원장 좋아하지?"

아뿔싸, 이걸로 두 번째다. 내 마음을 같은 공간에서 일하는 동료에게 들켜 버린 건, 그때 그 교만했던 계집 애에 이어 이걸로 두 번째다. 내가 선뜻 대답하지 못하자 그녀는 웃으며 입고 있던 유니폼 호주머니에서 마스크를 꺼내들었다. 그녀의 유니폼은 치위생사들이 입는 것과는 사뭇 다른, 긴 조끼식 앞치마였다.

"어떤 때 너무 애절한 눈빛으로 바라보더라고. 그러니 알기 싫어도 자연히 알게 되지. 정하도 아마 알고 있을 걸? 상대가 상대이다 보니 티를 못 내서 그렇지."

"……"

"별로 도움될 만한 말을 못해줘서 미안하긴 한데, 내가 아는 어떤 일본의 여류 시인이 그런 말을 했더라고."

"……"

"필요하면, 빼앗아도 좋다, 라는 말. 그러니까 필요하다는 건, 간절히 원한다는 것과 동의어겠지? 간절히 원한다면 빼앗아라. 그렇지 않고서는 가질 수 없다."

"……"

"처음에는 나쁘다, 라고 생각했는데. 이상하지. 어느 순간, 그 말을 편들고 싶어지는 건. "

그 말을 끝으로 그녀는 웃으며 그 자리를 떠났다.

그로부터 사나흘 후에, 나는 바로 그 광경을 목격했다. 정확히 말하자면, 목격하지 않고서는 견딜 수가 없었던 거다.

10

항상 마지막으로 퇴근하는 사람은 실장인 나였다. 모든 치과 내부의 카드키를 가지고 있었던 사람도, 모든 비밀번호를 다 꿰고 있었던 사람도 나였다. 그리고 정신없이 바빴던 하루를 돌아보며 허무한 퇴근길을 재촉하는 동안, 읽고 있던 책을 깜박하고 병원에 두고 나온 사실을 깨달은 것은 거의 집에 다다랐을 때쯤이었다. 처음에는 그냥 내일 아침에 가져와야겠다고 생각했지만, 잠시 후 나는 다시 차를 돌려 병원으로 향했다.

복도는 어두웠고, 불이 꺼진 병원은 밖에서 보기에도 그저 고요하기만 했다. 그러나 아침에 늘 하던 버릇대로 카드키를 이용해 문을 열고 안으로 들어선 순간, 오랫동안 이 공간을 드나들었던 사람의 직감으로 나는 뭔가가 잘못되었음을 깨달았다.

안쪽에서 희미한 불빛이 새어나왔다.

처음에는 진료실 쪽인가 했지만, 진료실 쪽은 아니었다. 소독실도 원장실도 어느 곳 하나 할 것 없이 고요했다. 그러나 진료실에서 소독실로 이어지는 모퉁이에 자리잡은 비품 창고, 그 창고의 문이 반쯤 열려 있었다.

희미한 불빛은, 바로 그 창고에서 새어나오고 있었다. 너무나도 희미해서, 정말로 불이 켜졌는지조차 알 수 없이 희미한 불빛 말이다.

불을 향해 뛰어드는 불나방처럼 나는 그 희미한 불빛을 향해 다가섰다.

숨소리가 들렸다.

낮고 거칠고 메마르게 헐떡이는 그 숨소리가, 누구의 숨소리인지는 굳이 물을 필요도 없었다.

에피네피린과 거즈와 코튼롤과 고장난 멸균기와 각종 일회용 비품들로 그득한 그 창고 한켠에서, 벽에 몸을 기댄 채 한 여자가 몸을 격렬하게 움직이고 있었다.

나의 미네르바, 박정하 부원장이었다.

그녀의 격렬하게 움직이는 허리 아래 또 다른 누군가가 있었다. 처음에는 쌓아올린 박스에 가려져 그 또 다른 누군가를 선뜻 알아보지 못했다. 그러나 미처 가려지지 않은, 스타킹을 신은 날씬한 다리를 본 순간, 나는 그녀가 누구인지를 깨달았다. 다른 건 몰라도, 한효정의 날씬한 종아리를 못 알아본다는 건 나로서는 있을 수가 없는 일이었다.

분명 그녀는 내가 알지 못하는 방식으로, 박정하 부원장을 천국으로 인도하고 있었다. 내가 알 길 없는 그녀들만의 천국으로.

11

차라리, 차라리 상대가 남자인 것보다는 낫다고 속으로 몇 번이나 되뇌었는지 모른다. 그리고 그 말은, 어떤 의미에서는 사실이기도 했다. 여자끼리도 그럴 수는 있다고 들어왔고, 심각하게 생각하지는 않았지만 그러려니 했다.

오히려 그들의 관계를 알고 나니, 지금까지 몰랐던 의문점들에 대해 말끔하게 설명되는 부분이 있었기에 약간 홀가분하기까지 했다. 그러나 언제까지 그들의 관계가 계속될 것인가라는 질문 앞에서는, 다시 혼란이 밀려들었다.

사실은, 마음이 많이 괴로웠다.

그 일로 해서, 박정하 부원장에 대한 부질없는 짝사랑을 떨쳐 버릴 수 있을 거라 생각했고, 또 그러려고 노력했다. 그러나 오히려 내가 쉽게 납득하기 어려웠던 두 사람의 관계를 확인한 시점에서, 나의 미네르바를 향한 나의 욕망은 오히려 그 강도를 더해가고 있었다. 더욱 절박하고도 흉악한 형태로 말이다.

데스크에 보관되어 있던 서류철을 뒤져 한효정의 이력서를 찾아냈다. 그리고 그녀의 신상명세를 추적하기 시작했다. 그녀의 전직이 다큐멘터리 작가였다는 사실을 재확인한 순간, 번개처럼 머릿속을 번뜩이며 어떤 생각이 섬광처럼 스쳤다.

<진취적인 여성들>

내 누나인 채유나 원장, 그리고 박정하 부원장이 어떤 경로로 그 다큐멘터리에 출연하게 되었는지에 대해 지금껏 어느 누구에게도 들은 바가 없었던 것이다.

12

"너 그걸 이제 알았단 말이야?"

채유나 원장은 오히려 의아해하는 표정으로 내게 반문해 왔다.

"그래, 한효정 선생이 중간에서 힘 좀 썼다고 했어. 왕년에 그쪽 계통에서 일한 전적이 있으니까. 생각보다 반응이 좋아서 환자도 늘고 있고 해서 정하도 좋아하던데? 정하가 너한테 얘기 안 하던?"

"안 했어요. 전 원장님이 원장님 친구분들 입김으로 출연한 줄 알았어요. 그쪽 방송국 피디하고도 친하시잖아요."

"아, 그런데 처음에는 병원 비리가 어쩌고저쩌고 하길래 딱 잘랐어. 그쪽에서는 정직한 병원 사례로 여길 촬영하겠다고 했지만 그 말을 어디까지 믿겠니. 그냥 좋은 거고 나발이고 방송 쪽은 아예 나갈 생각 없다고 했지. 그런데 마침 기획의도가 딱 우리한테 적격인 그런 다큐멘터리 촬영 제안이 들어온 거지. 그것도 정식으로 협조 공문까지 딱!"

보기보다 천진난만한 구석이 다분한 채유나 원장, 나의 외사촌누이는 그 다큐멘터리에 출연했던 기억을 떠올리면 지금도 기분이 좋은지 손뼉까지 쳐 보였다.

"그 좋은 기회를 주선한 게 한효정 선생이라는 말은 얼핏 들었어. 하지만 뭐, 정하도 한선생도 그 이후로는 별다른 말을 안 하더라? 여튼 병원 홍보는 이걸로 충분하니까. 근데 넌 뭐가 궁금한 건데?"

"진짜로 대표원장 박 부원장님한테 넘기실 건가요?"

"난 경영 같은 거 성격에 안 맞아. 그냥 치료에만 전념할래. 걔는 야무져서 뭐든 척척 다 해내는 애야. 심원장이 정하를 그렇게 순순히 우리한테 보내 준 이유를 모르겠어. 본인이 원해서 그랬던 거라고는 하지만. 심원장 쪽도 조건은 꽤 괜찮았을 텐데."

박정하 부원장이 전에 근무했던 병원을 두고 하는 얘기였다.

어째서인지는 모르지만, <진취적인 여성들>의 순조로운 촬영과 두 원장님들의 출연이 한효정과 무관하지 않다고 판단된 시점에서, 그 두 사람의 관계가 단순한 동성애 관계가 아닐 거라는 의혹이 슬그머니 일었다. 어쩌면 두 사람은 내가 아는 것보다 훨씬 복잡한 이해관계로 얽혀 있을지도 모를 일이었다.

그렇다고는 해도,

도저히 잊을 수가 없었다. 믿을 수 없을 정도로 빠르게 움직이던 허리, 헤벌어진 입술, 미칠 것 같은 쾌락에 정신이 나가버린 사람이 아니고서는 절대 보여줄 수가 없는, 그 텅 비어버린 눈과 무섭도록 창백해진 얼굴을.

그게 바로 나의 미네르바가 절정에 다다르기 직전에 짓는 표정이었다. 그녀가 절정에 오를 때면 낯색이 파리해지는 사람이라는 건 처음 알았다. 어쩌면 그건 희미하게 비춰진 조명이 보여준 눈속임이었을 수도 있다. 그러나 그건 중요한 게 아니다.

진짜 중요한 건, 그토록 광란에 찬 그 성행위의 파트너가 내가 아니었다는 거다.

거의 일주일을 넘게, 밤새도록 잠을 이루지 못하는 날이 이어졌다. 그 결과, 집중해야 할 낮 동안의 업무를 효율적으로 해내지 못해 실수를 연발했다. 누나인 채 원장으로부터 꾸지람을 듣고 어린 치위생사들로부터 우려 섞인 빈축을 샀다.

결국 나는, 예정에 없던 휴가를 신청했다.

13

―자본주의 사회에서, 돈으로 살 수 없는 건 아무것도 없어요.

마치 현실에서처럼 생생한 모습으로, 유니폼을 입고 두 겹의 마스크를 쓰고 나타난 치기구세척사는 느긋하게 담배를 피워 문 모습으로 그렇게 말했다. 마스크를 쓴 상태로 담배를 피우는 게 가능하냐는 질문이 무색하게, 그녀는 마스크를 쓴 채로 담배를 입에 물고 있었다. 담배연기가 길고 구불구불한 줄을 그리며 허공을 따라 흩어졌다.

그녀의 마스크 중 한 장은 코 위를 바싹 끌어올려 얼굴을 덮었고, 다른 한장은 턱 아래까지 끌어내려 턱을 완전히 감싸다시피 했다. 담배 연기와 두 겹의 마스크에 가리워져 보이지 않는 그녀의 얼굴 가운데 담배를 피워 문 입이 얼굴의 아래 위를 가린 두 겹의 마스크 사이로 슬쩍 내비쳐 보인다. 출구없는 욕망의 덩어리들이 너나 할것없이 입을 벌린 그곳에서, 그녀는 철두철미하게 자신의 욕망을 두 겹의 마스크로 에워쌌다.

-간절하게 원해요? 그러면 빼앗아 봐. 이바라기 노리코가 그랬어요. 간절히 원하지 않으면, 아무것도 얻을 수 없다고. 다행히, 우리는 자본주의 경제가 주도하는 사회에서 살고 있어요. 뭐든지 돈으로 살 수 있어요. 사랑? 홍콩 침사추이 하버시티의 에르메스 매장 어딘가에 숨겨진 그 명품 가방 같은 그런 사랑을 원해요? 그런 사랑은 살 수 없을 거라고 생각하는 건가요? 천만에. 돈으로 살 수 없는 건 없다니까요? 근사한 호텔 침대에서, 욕조에서 원하는 만큼 즐길 수 있어요. 눈에 보이지 않는 것? 만질 수 없는 것? 들을 수 없는 것? 그런 걸 왜 원하지? 그래도 그런 사랑을 원한다면. 가격표만 붙여봐요. 얼마든지 상품은 나올 거니까. 기다렸다가 사기만 하면 되는 거니까.

-리만 가설은요? 그건 돈으로도 증명할 수 없는 거라고 했잖아요?

-망해가는 세상의 가치를 돈으로 환산한 액수만큼의 가격을 제시하고, 그 가격표에 적힌 액수를 말없이 지불한다면 아마 증명할 수 있을 거예요. 하지만 실장님이 원하는 건 박정하 부원장이지 세상의 멸망이 아닐 텐데?

천박하게 깔깔 웃어대는 치과청소부는 마침내 두 겹의 마스크 사이로 물고 있던 담배를 입에서 빼고 새빨간 레드컬러로 치장한 욕망의 입구를 적나라하게 내보인다. 그녀가 입을 벌린 순간, 실지렁이처럼 징그러운 형태로 비틀린 음모들이 그 입 속을 가득 메운 것을 보게 된다.

아, 저건 그녀의 입이 아니다.

그녀의 음부다.

흉측하게 꼬불거리는 털무더기 사이에서 드러난 보지가 검붉은 속살을 드러내며 속삭인다. 모든 건 거래일 뿐이니까, 그 어떤 죄책감에도 굴복하지 말라고.

검붉은 욕망.

한효정의 검붉은 욕망, 어쩌면 그녀 자신의 욕망이 아니었을지도 모른다. 어느 순간, 그 섬뜩한 검붉은 빛깔이 씹다 뱉은 딸기처럼 희끄무레하게 탈색되어 가는 중이다. 두 겹의 마스크가 그녀의 얼굴 전체를 옭죄인다. 그 중 한 장이 그녀의 이마를 가리고 다른 한장이 그녀의 눈과 코를 감싼다. 순식간에 그녀는 질식해 간다.

-모든 걸 돈으로 살 수 있지만

쓰러져가는 그녀의 마지막 속삭임이 내 귓가를 맴돈다.

-조건은 하나, 돈으로 살 수 있는 것만을 욕망할 것. 돈으로 살 수 없는 것을 욕망하는 것이야말로 자본주의 사회에서의 진정한 죄악이니까.

14

단순히 하잘것없는 꿈 때문에 정신이 나간 거냐고 묻는다면, 답은 '그럴 수도 있다'. 그러나 한효정에 대한 꿈 때문은 아니다. 다만, 꿈에서 그녀가 제시했던 그 조건, 그 조건이 나를 옭죄어들었고 그로 인해 나는 급속도로 미쳐가고 있었던 거다.

-돈으로 살 수 없는 것을 욕망하지 말라.

돈으로 살 수 없는 것을 욕망하는 것만이 자본주의 사회에서의 진정한 죄악이라고 했다. 나의 미네르바, 박정하 부원장을 향한 나의 사랑은 돈으로 해결할 수 있는 것이 아니었다.

하지만.

어쩌면 그녀의 육체를 탐하고픈 욕망은, 돈으로 해결할 수 없는 욕망이 아닐 거라는 생각이 들었다.

"혹시, 한효정 선생이 왜 다큐멘터리 작가를 그만뒀는지에 대해서는 아시는 거 없어요?"

어느 날, 나는 본격적으로 박정하 부원장에게 병원의 대표직을 넘길 준비에 한창이던 채유나 원장을 향해 대수롭지 않게 그렇게 물어 본 적이 있었다.

"직접 물어 보지 그러니?"

"직접 묻기가 뭣하니까 묻는 거잖아요."

"하긴. 근데 나도 잘은 몰라. 정하 말로는, 뭐 방송국 내부 인사 문제도 있었고, 같이 일하는 직속 상사와의 트러블도 있었다고 하고, 뭐 집안 사정도 있었다고 하고. 여튼 그래. 사람이 일 그만두는 이유야 뭐 빤한 사연들 아니었겠어?"

정확하게 내가 묻고 싶었던 질문은 다음과 같다.

어째서, 한때 잘나가는 방송국 작가였던 그녀가 이토록 하잘것없는 치과청소부로 전락했느냐는 질문, 그게 설마 박정하 부원장 때문은 아니겠지라는 질문이었다.. 아무리 생각해봐도 박정하 부원장이 그녀의 인생을 파멸로 몰아넣을 빌미를 만들었을 거라고는 생각되지 않았는데, 그건 내 사적인 감정을 떠나 객관적으로 냉정히 판단해 봐도 그러했다.

이유야 어쨌건, 나는 한효정을 진심으로 증오했던 적은 없다. 그녀와 박정하 부원장 사이에 오간 그 더러운 거래에도 불구하고 말이다. 그러니까, 그녀의 존재를 죽어도 받아들이지 못할 이유는 없었다는 뜻이다. 그녀에 대한 증오가 시작된 것은, 그녀가 내 인생을 파멸로 몰아넣고 난 후부터였다. 말하자면, 그녀가 죽은 이후부터 나는 그녀를 믿을 수 없을 정도로 격렬하게, 그리고 일

말의 애틋한 감정을 품은 채로 증오하기 시작했다는 뜻
이다.

15

이제, 바야흐로 그날, 나라는 인간이 완벽하게 시궁창
으로 내던져졌던 그날의 사건에 대해 이야기할 때가 되
었다. 그 전에, 내가 분명히 밝혀둔 바와 같이 나는 불
면증과 정신적 고통으로 인해 미쳐가고 있었는데, 이유
는 단 하나, 나의 미네르바를 향한 억누를 수 없는 욕
망 때문이었다. 그리고 내가 갖지 못한 것을 너무나도
쉽게 가져간 한 여성에 대한 시기어린 호기심이, 그 욕
망의 언저리에서 강렬하게 나를 지배하고 있었다.

어느 날, 여느 때와 현저하게 달랐던 나의 미네르바의
신경질적인 태도를 접한 나는, 그녀에게 뭔가 좋지 못
한 일이 생겼음을 직감했다. 그 좋지 못한 일이 다름아
닌 한가위와 관련된 일이라는 것도 어렵지 않게 눈치챘
다. 갑작스럽게 병원을 그만둔 지 한 달이 채 지나지
않은 시점에서, 오늘 점심시간을 틈타 병원으로 찾아온
한가위가 창백해진 얼굴로 미네르바의 원장실 문을 열
고 나오는 것을 보았기 때문이다.

두 사람 사이에 모종의 다툼이 있었음을 어렵지 않게
짐작할 수 있었다.

쉴새없이 드나드는 환자들의 진료 접수를 받고, 진찰실로 안내하고, 엑스레이 촬영이니 파노라마니 상담이니 하는 이런저런 처치를 하고 마침내 의자에 반쯤 눕혀진 환자를 진찰하고 치료하는 그 일상의 업무는 아무런 말썽없이 돌아갔다. 그러니, 어느 누구도 그 폭풍 전야의 고요함과도 같은 두 사람 사이의 기류를 눈치채지 못했을 터였다.

오직 나만이, 그 고요한 폭풍의 눈과도 같은 팽팽한 긴장감을 포착할 수 있었다.

"퇴근 안 하세요?"

여느 때와 달리, 퇴근 시간이 되면 문을 닫고 옷을 갈아입을 준비를 하는 대신, 의자에 앉아 미간을 찌푸린 채 노트북 화면을 들여다보는 미네르바에게 나는 그렇게 물었다.

"다들, 먼저 퇴근하세요. 문단속은 제가 할 테니까."

잠시 후, 미네르바는 좀 더 신경질적인 어조로 한 마디를 덧붙였다.

"지난번 같은 구경거리는 기대하실 수 없을 테니까, 갔다가 다시 되돌아오실 필요 없습니다."

맙소사.

물론, 나는 그날 내가 본의 아니게 목격하고 만 그 광경을, 미네르바가 전혀 눈치채지 못했으리라고는 생각하지 않고 있었다. 그러나 그날 밤, 바야흐로 천상의 쾌락에 빠져 구름 위를 날고 있었을 미네르바가 나라는 구경꾼의 존재를 익히 알면서도 그 쾌락을 계속해서 즐길 수 있을 정도로 강심장일 줄은 몰랐다.

"알고 계셨어요?"

나도 모르게 그렇게 되묻고 말았다.

"그럼, 문 좀 닫아 달라고 하려고 했는데, 워낙 정신이 없어서."

안색 하나 안 바꾸고 태연히 그렇게 대답하는 미네르바는, 그 순간 남은 나의 이성을 완벽하게 망가뜨리고 말았다.

일단은, 시키는 대로 치위생사들을 모두 퇴근시킨 후, 문을 잠그지 않고 퇴근길을 나섰다. 그러나 내 차를 세워놓은 지하주차장으로 내려간 나는, 여느 때처럼 차에 올라 시동을 거는 대신 한참 동안이나 차에 올라앉은 채로 꿈쩍도 하지 않고 앉아 있었다. 거의 이틀 밤을 연속으로 잠을 자지 못하고 밤을 꼬박 새우다시피 한 상태였다. 그 상태로 얼마간 기절하다시피 잠이 들었던 것 같다.

깨어났을 때, 온몸에서 식은 땀이 흘렀다. 날씨는 추웠고, 온몸이 떨렸다.

마침내 나는, 나도 정확히 그 실체를 알 수 없는 어떤 결심을 하고 차에서 내린 후 다시 조금 전 내가 퇴근했던 치과로 되돌아가는 엘리베이터를 탔다. 그리 오랜 시간 동안 차에 있었던 것은 아니라고 생각했는데, 시계를 보니 어느 새 두어 시간이 훌쩍 지나가 있었다.

밖에서 본 치과는, 그날 밤 그때처럼 어둡고 괴괴했다. 그러나 분명 박정하 부원장은 아직 퇴근하지 않고 있으리라는 사실을 나는 익히 알고 있었다. 아마도 한효정 또한 퇴근하지 않고 남아서 박정하 부원장을 만족시키기 위한 그 즐거운 둘만의 잔치를 벌이고 있을 터였다. 이 시점에서 두 사람을 방해하는 것은 분명 온당치 않은 짓이었고, 만약 그들이 벌일 잔치가 지난번 내가 목격했던 그런 잔치라면 전혀 방해할 생각이 없었다.

그러나 나는 이미 깨닫고 있었다. 그들이 오늘 벌일 잔치는, 그렇게 달콤한 잔치가 아닐 거라는 것을. 내 직감대로라면, 그들은 오늘 다른 종류의 전쟁을 벌이고 있을 터였다. 결코 달콤하지 않은, 쓰디쓴 전쟁을 벌이고 있을 것이 틀림없었다. 치과청소부의 울어서 퉁퉁 부은 눈과, 볼이 움푹 들어간 미네르바의 찌푸려진 미간이 모든 것을 말해주고 있었다.

역시 예상대로 문은 잠겨 있지 않았다. 나는 조용히 문을 열고 어둠 속으로 걸어 들어왔다. 뜻밖에도 미네르바의 개인 집무실인 부원장실에서 희미한 불빛이 새어 나오고 있었다. 설마 이번에는, 장소를 부원장실로 바꾼 건가?

반쯤 열린 부원장실로 다가간 나는, 조심스럽게 문 틈으로 안을 훔쳐보았다.

그리고, 경악했다.

박정하 부원장은 불과 두 시간 가량 전까지 자신이 앉아 있던 그 자리에 그대로 앉아 있었다. 그녀의 오른손 손등에, 가위가 꽂혀 있었다.

처음에는 그게 어떤 가위인지 알지 못했다. 그러나 이내, 끝이 매섭게 꺾어진 그 가위가 수술용 시저임을 알아볼 수 있었다. 바로 한효정이 예쁘다고 했던 그 가위였다.

그 시저가 박정하 부원장의 손등에 꽂혀 있었다.

시저가 저렇게 꼿꼿하게 서 있는 걸로 보아 어지간히 가위가 깊이 박힌 게 분명했다. 상상을 초월할 만큼의 통증이 온몸을 타고 번지고 있었을 터였다. 나의 미네르바는 앉은 자세 그대로 그 통증을 고스란히 견뎌내고 있었다.

그러나 잠시 후 시저는 옆으로 툭 꺾이며 쓰러졌고 박 부원장은 외마디 비명을 지르며 입술을 깨물었다. 그렇게 깊이 박히지는 않았던 모양이다. 그리고 내 쪽에서는 보이지 않는, 박 부원장을 마주한 벽 어딘가에서 나직한 목소리가 들려왔다.

한효정, 치기구세척사 한가위의 목소리였다.

"소설을 쓰고 있어."

"……"

"일기 형식의 소설이야. 네 이야기를 쓰고 있어."

"……"

"사람들이 그 이야기를 읽는다면, 어느 누구 할 것 없이 그게 너와 내 이야기라는 걸 알게 될 거야."

"……"

"이제라도 계좌번호 불러주면, 그 돈 돌려줄게. 그러면, 난 여길 나갈 수 있어. 다시 네 앞에 나타나지 않을게. 널 위해서 이만큼 나를 파괴했으니까, 이 정도쯤은 용서해 주겠지."

박정하 부원장이 괴로운 듯 숨을 몰아쉬며 말했다.

"그 돈은, 돌려줄 필요 없다고 했잖아. "

"난 그 돈, 받을 수 없어. "

"받아!"

지금까지 한 번도 들어본 적이 없는 앙칼진 목소리로 박정하 부원장이 소리쳤다.

"그 돈, 제발 받으라고. "

"싫어. 난 너하고는 거래 안 해. 지금까지도 그랬고 앞으로도 그럴 거야."

"좀 현실적으로 살면 안 돼? "

얼굴을 온통 일그러뜨린 박정하 부원장이 섬뜩하고도 기괴한 표정으로 웃어 보였다.

"혼자 고고한 척 좀 그만하라고. 나 하나를 위해서 그렇게 혐오했던 작자랑 호텔까지 갔잖아. 그걸로 충분하니까. 됐으니까. 그만 좀 하라고. 피차 까놓고 보면 다 별볼일없는 인간들이야. 언니도 나도. 그러니까 언니 말대로, 약 주고 병 준 셈치고. 그만 잊어버려. 쉬고 싶으면 쉬게 해 줄 테니까. 제발."

"너야말로 이제 그만 하면 안 되니?"

한효정의 목소리는 어딘가 모르게 꺼져 갈 듯 기운이 없었다.

"내가 너한테 원한 건 돈이 아니었어."

"돈이 아니면, 뭔데?"

같잖다는 듯 코웃음을 치며 박정하가 되물었다.

"설마, 사랑이었다고 말하려는 건 아니지?"

박정하가 던진 질문에 대한 대답을, 나는 듣지 못했다. 아니 들을 수가 없었다. 정확히 말하면, 나는 박정하가 던진 그 질문에 대해 한효정이 답하도록 내버려 둘 수가 없었던 것이다.

16

"대체 이게 무슨 짓이야!"

부원장실로 뛰어들어온 나는, 박정하의 손에서 선명하게 흐르는 선혈을 보고 나서야, 완벽하게 자신을 파멸로 내던질 용기를 얻었다. 나는 내가 할 수 있는 한 가장 거칠고 난폭한 태도로 벽에 기대듯 서 있던 한효정을 붙잡아 멱살을 쥐다시피 하며 질질 끌고 부원장실 밖으로 나왔다. 당황한 미네르바가 소리쳐 나를 불렀지만 나는 그녀의 목소리를 개무시하며 한효정을 붙잡아 딱딱한 진료실의 타일 바닥에 그대로 내동댕이쳐 버렸다.

어느 누구라도, 자신의 키 높이에서 그대로 뒤로 나자빠져 머리를 정통으로 부딪친다면 그대로 즉사할 수 있을 만큼 단단한 타일이었다.

그리고 그 단단한 타일에 제대로 뒤통수를 강타당한 한효정은, 참으로 깔끔하게도, 그 자리에서 즉사했다.

처음에는 나를 말리려는 목적으로 나를 뒤쫓아와 내 어깨를 잡았던 박정하는, 뒤로 미끄러지듯 팽개쳐진 한효정의 머리가 타일과 정면 충돌하는 그 소리를 들은 순간, 뭔가를 직감한 듯 그대로 몸이 굳어지고 말았다. 나 또한 한효정이 뇌진탕을 일으켰을 것이 분명하다고 판단한 시점에서 이렇다 할 어떤 조치도 취하지 못했다.

얼마의 시간이 흘렀을까.

마침내, 넘어진 자리에서 움직이지 않는 한효정을 향해 다가가, 그녀의 숨이 끊어진 것을 확인한 사람은 다름아닌 박정하 부원장, 나의 미네르바였다. 한효정의 맥박과 호흡이 완전히 멎고, 심장 박동 또한 멎었음을 확인한 그녀는 손으로 바닥을 짚으며 고개를 떨구었다.

"말도 안 돼."

"부원장님은, 나가세요."

"뭐?"

"여기서 나가시라고요. 다 제가 저지른 겁니다. 제가 책임질 거예요."

"정 실장!"

"아무 걱정하지 마세요. 부원장님하고는 아무 관련 없는 일입니다. 제가 책임지고 해결하겠습니다. "

다시 한참의 침묵이 흘렀던 것 같다.

그 침묵이 끝난 시점에서, 묘하게도 박정하 부원장은 이상하리만치 그녀 특유의 냉정하고 침착한 모습을 되찾고 있었다. 그녀는 일어서서 치과의 간판에 가려진 창문 너머로 보이는 어둠과 그 어둠을 희미하게 밝힌 가로등이며 네온사인의 불빛들을 유심히 살폈다. 그리고는, 여전히 우리에게 남아 있는 단 하나의 빛인 부원장실의 보조 조명등 쪽을 돌아보았다. 마침내 그녀는 착 가라앉은 목소리로 입을 열었다.

"정 실장, 지금부터 내가 시키는 대로 할 수 있지?"

17

박정하 부원장의 지시에 따라 나는 민첩하게 모든 CCTV를 끄고, 최근 한달 동안의 기록을 모두 삭제한 후 복도 쪽에 장치된 CCTV 또한 같은 방법으로 훼손했다.

그런 후, 비상계단을 통해 한효정의 시신을 들쳐업고 지하주차장까지 그대로 내려갔다.

다소 무모한 방법이긴 했지만, 박정하 부원장은 정공법을 택했다. 그녀는 비상계단의 CCTV가 위치한 자리를 정확하게 알고 있었고, 나는 그녀가 시키는 대로 비상계단에 설치된 CCTV의 사각지대를 골라 이동했다. 물론 그녀도 나도, 우리의 신원을 노출시키지 않을 수 있을 정도로 충분히 복장을 바꾸고 얼굴을 가린 상태였다. 내 경우는, 그 작업이 그리 완벽했다고 볼 수 없겠지만, 박 부원장은 충분히 자신의 신원을 감출 수 있을 정도의 변장을 해냈다. 어려울 것도 없었다. 항상 퇴근하는 시간에 보여주던 그녀의 모습은 의사의 모습이 아닌 여자의 모습이었으니까.

마침내 성공적으로 내 차의 트렁크에 안착한 한효정의 시신을 싣고, 나는 먼저 출발한 박정하의 부원장의 차를 뒤따라 H시 부근의 야산으로 이동했다. 의심을 받지 않도록 충분한 시간 차이를 두고 따라갔다. 한효정의 시신이 실린 내 차를 박 부원장이 몰았고 대신 내가 박 부원장의 차를 운전하며 뒤따랐다.

박 부원장이 도착한 곳은 의외로 생각만큼 으슥하지 않은 곳이었다. 게다가 근처에 유명한 수목원이 있어 언제든 시신이 발각되기 좋은 곳이었다. 그리 높지 않은 산의 중턱쯤에 차를 세우고, 박 부원장은 도로를 벗어나 산비탈을 향해 얼마간을 걸어 내려갔다.

점점 무거워져 오는 한효정의 시신을 힘겹게 메고, 나는 박정하의 뒤를 따랐다.

마침내 박정하가 든 손전등이 바닥 아래를 비추었을 때, 나는 그 곳이 낭떠러지임을 알았다. 너무나도 익숙하게 여기까지 온 걸로 보아, 전에도 몇 번 이 곳을 왔었음이 분명했다. 아마도 다른 사람이 아닌, 한효정과 함께 왔을지도 모를 곳이었다.

나는 지체없이 낭떠러지 아래로 시신을 내던졌다.

그렇게 시신을 처리한 후에도 우리는 한동안 그 자리에서 움직이지 못했다. 희부옇게 새벽이 밝아온 후에야, 나는 내가 한효정의 시신을 던진 그 벼랑이 생각만큼 높은 벼랑이 아니었다는 사실을 알게 되었다. 한술 더 떠서, 그 벼랑 아래로는 늦가을의 낙엽이 두텁게 쌓여 있어서, 그 위로 반듯하게 떨어진 한효정의 모습은 시신이라기보다는 마치 낙엽 위에 누워 가을의 낭만을 만끽하고 있는 사람처럼 보였다.

"언니가 좋아했던 곳이야."

말없이 시신을 내려다보던 박정하 부원장의 목소리가 떨려왔다.

"좀 더 숨기기 좋은 곳이 있었겠지만, 난 다른 장소는 몰라. 언니한테는, 그래 효정 언니한테는 여기가 딱 알맞은 장소야."

18

앞서 분명 얘기했다시피, 한효정이 내게 있어 전혀 받아들이지 못할 존재였느냐고, 그래서 죽였느냐고 묻는다면 내 대답은 분명히 '노'다. 그녀가 아니었다면, 그녀의 죽음이 아니었다면 나는 결코 나의 미네르바를 내 품에 안지 못했을 것이다.

한효정의 시신을 그렇게 수습한 후, 돌아오는 길에 자신의 차를 몰던 박정하는 내가 알지 못하는 샛길로 접어들었고 나는 묘한 불안감에 휩싸여 내 차로 그녀의 차를 뒤쫓았다. 그녀가 차를 세운 곳은 뜻밖에도 국도를 끼고 도는 산길 주변의 어느 외진 모텔 앞이었다.

무인 모텔이라 따로 접수를 받지 않아도 되는 곳이었다. 박정하가 어떻게 해서 이런 곳을 알고 있었는지는 도통 모를 일이었지만, 지금으로서는 그런 것까지 일일이 신경쓸 계제가 아니었다. 나는 극도로 흥분했고, 극도로 피로했다. 그와 동시에 극도로 신경이 예민해져 있었다. 게다가, 내가 원했던 것이 이토록 허무하게도 쉽게 내 앞에 다가와 있다는 사실 앞에서, 나는 나 자신이 무슨 생각을 해야 하는지조차 잘 알 수가 없었다.

그리고, 아직도 잘 알 수가 없다. 그날 박정하와 내가, 그토록 간절히 원했던 나의 미네르바와 살인범으로 전락한 내가 처절하게 뒤엉킨 끝에 도달한 그 지점이 대체 어디쯤이었는지를 알 수가 없다. 섹스를 했다는 기억은 있지만, 그 섹스가 나를 황홀하게 했다는 기억은 없다. 원하는 것을 얻었다는 성취감이나 만족감 따위도 느끼지 못했다.

정확하게 내가 원했던 것이 뭐였나.

내 몸 아래 깔린 박정하의 얼굴이, 그날 밤 창고에서 내가 목격한 그 표정을 그대로 보여주는 것, 혹은 나를 깔고 앉은 그녀의 얼굴이어도 좋았다. 어떤 체위로든 좋으니, 내게 들러붙은 그녀의 표정이 그토록 처절한 무아지경에 빠진 표정을 보여주기만 하면 되는 거였다.

하지만.

그날 내가 본 그녀의 표정은 황홀경에 들뜬 사람의 표정이 아니었다. 그것은 그저 충격받고, 상처받은 사람의 얼빠진 표정이었다. 심지어 그녀는 내 몸을 통해 오르가즘 비슷한 것조차 느끼지 못하고 있었다.

그녀가 내게 자신의 몸을 내준 이유는 단 하나였다.

거래, 돈이 아닌 몸을 통한 거래였다.

자신을 대신해 살인을 저지른 살인범에게 지불해야 할 그녀 나름의 응분의 대가였다. 어쩌면, 그녀가 판단하기에는 돈보다도 훨씬 강력한.

19

-정확하게 효정 언니를 어떻게 만났는지는, 솔직히 기억이 안 나. 어느 날인가, 커피숍에서 커피를 사고 결제를 하려고 하는데 언니가 갑자기 다가와서 커피값을 대신 내주겠다는 거야. 옥신각신 하다가 내 카드가 그만 공중을 한 바퀴 날아서 땅에 떨어졌는데, 그날 그 언니는 그렇게 공중을 팔랑팔랑 날다가 땅에 떨어진 꽃잎처럼 보였어. 말하자면, 그때까지만 해도 참 예뻤지. 지금이야 늘 마스크를 끼고 일하니까. 정 실장은 잘 몰랐겠지만.

그 후로 몇 번 만나고, 서로 원하는 게 뭔지도 어렵잖게 알아챘지. 심지어는 언니를 도와서 언니가 약혼자와 파혼하도록 힘써 줬지. 언니는, 그 남자와 결혼하고 싶어하지 않았어. 그 약혼자라는 놈이 손버릇이 나빠서, 걸핏하면 섹스하는 도중에 자길 때린다고, 그게 견딜 수 없이 싫다고 했어. 입에 담지 못할 험한 욕설도 서슴지 않는다고. 평소에는 아주 자상한데, 잠자리에서는 그렇게 이상하게 돌변하는 인간이라고.

사실 나는, 그 관계에 처음부터 그렇게 집요하게 집착하지 않았어. 나한테는 내 커리어, 내 직업, 내 미래가 더 중요했어. 압도적으로 중요했어. 그래서 미련없이 병원을 옮겼고, 언니랑 연락을 끊었어. 소문이 안 좋게 날 조짐도 보였거든. 언니도 나와 같은 생각을 했는지 그 후로 다시 나를 찾지 않았어.

문제는, 그렇게 헤어진 지 얼마 지나지 않아 다시 만나게 된 거야. 그건 순전히 우연이었지만, 다시 만난 후로는 내가 도저히 못 헤어지겠더라고. 이유? 아주 단순해. 내가 남자들한테서 느끼지 못한 거, 그걸 어떻게 느끼는지 가르쳐 준 사람이 바로 그 언니였거든. 내가 혼자 할 줄 모른다는 걸 알고는 내가 느낄 수 있도록 도와줬어. 그게 나한테는 수렁이었지. 그 언니는 자기가 내 노예가 된 것처럼 말하지만, 사실은 내가 그 언니의 노예가 된 거지.

그래, 그 다큐멘터리, <진취적인 여성들>, 그 다큐멘터리의 기획의도를 바꾸고, 나와 채 원장님의 인터뷰와 출연을 주선하고, 엔딩 크레딧에 우리 치과 이름이 올라가게 한 건 다 효정 언니 작품이야. 하지만, 그걸 그렇게 해내려고 성 상납까지 한 줄은 몰랐어. 그것도 절대 엮이고 싶지 않다고 했던 사람, 그 언니가 그 좋은 직업을 포기하게 만든 인간에게 몸을 줬을 줄은 정말 몰랐어. 약혼자? 아니야. 그 약혼자는 셀러리맨이야. 그 언니가 몸을 준 그 작자가 누군지는, 그냥 모르는 게 나아. 정 실장이 누군지 안다 한들 뭘 어쩌겠어?

그걸 알고 나서 난 정말 뭘 어떻게 해야 할지 몰랐어. 효정 언니가 날 위해 그렇게까지 했다는 게, 전혀 고맙게 여겨지지 않았어. 세상에 돈으로 갚을 수 없는 신세를 진다는 게 가능하다는 걸, 난 그때까지 깨닫지 못했던 거야. 난 모든 걸 돈으로 해결해 왔어. 타고난 머리가 뛰어났으니까. 그 머리로 해결할 수 없는 부분은 돈으로 해결해 왔지. 다행히 그런 쪽으로는 행운이 따랐고. 하지만, 효정 언니와의 거래에서, 돈이 아닌 다른 어떤 것이 개입되었다고 느낀 시점에서 난 당황했어.

난 효정 언니의 계좌로 꽤 거액을 입금했어. 언니가 날 위해 했던 희생에 대한 보답으로 충분하다고 생각되는 돈이었어. 하지만, 효정 언니는 그걸 자신에 대한 모욕으로 받아들였어. 언니는, 그 돈이 일개 치과청소부인 자신과 의사인 나 사이에 넘어설 수 없는 벽을 만들어 버렸다고 했어. 언니는 그 돈을 되돌려주려고 했지만 내가 한사코 거부했지. 맞아, 그래. 그런 벽은 분명히 존재하는 거야. 설령 이게 우리들, 효정 언니와 내가 각자 택한 길이라고 해도 우리 사이에는 넘어설 수 없는 벽들이 너무 많았어. 그 벽을 굳이 허물 생각도 없었고, 아마 효정 언니도 같은 생각을 했겠지. 하지만 나는 아직도 잘 이해를 못하겠어. 어째서 효정 언니는, 자신의 인간으로서의 존엄성이 짓밟혔다고 생각하고 있었던 거지? 그건 그냥 돈이었을 뿐이었는데, 노력에 대한 보답이었고 헌신에 대한 내 고마움의 표현이었는데, 어째서 효정 언니는 그 돈을 그렇게 증오했는지 나는 전혀 모르겠어. 지금까지 그런 사람을 본 적이 없었어. 그토록 돈 앞에서 비굴해질 줄 모르는 사람을, 나는 정말이지 지금까지 단 한 사람도, 본 적이 없어. 효정 언니만 빼고.

20

"손은, 괜찮으세요?"

어처구니없이 죽어버린 가엾은 (그러나 가여워지지 않는) 치과청소부의 시신을 낮은 절벽 아래 푹신한 낙엽 위에 내버리고 돌아온 후에야 비로소 내 입에서 나온 질문이었다. 서로에게 있어 완벽한 공범이라는 입장이 되어서야 상호간에 이루어진 거래 이후, 내가 미네르바의 손등에 난 상처를 확인하는 동안 그녀는 내게 낮은 목소리로 지금까지 있었던 일들을 천천히 이야기했다. 한효정에 대해서, 그리고 그녀 자신에 대해서.

내가 생각했던 것과는 달리, 상처는 의외로 깊지 않았다. 끝이 불안정하게 꺾어진 그 날렵한 수술 가위는, 그녀의 손등을 깊이 파고들지 않았다. 그럼에도 불구하고 꽤 아팠을 테지만, 상처 자체는 그리 심각하지 않았다. 겉으로 보기에는 꽤나 깊이 박혔던 것처럼 보였던 것은 그 가위가 기괴하게도 박정하 부원장의 손등 위에서 잠시나마 꼿꼿하게 서 있었기 때문이다.

"많이 아프셨겠어요."

내 말에 미네르바는 대답하지 않았다.

자신이 들려줄 수 있는 만큼의 이야기만 들려준 후, 입을 다물어버린 그녀의 얼굴은 무섭도록 침착했다. 그 침착한 태도는, 보는 사람을 안도하게 만드는 침착함이 아니었다. 그것은 보는 사람을 질리게 만드는 지극히 이기적인 인간의 침착한 태도였다.

도대체 이 여자와 내가, 조금 전까지 무슨 짓을 벌였는지 갑자기 나 자신조차도 어리둥절해지고 마는 순간이었다. 내가, 아니 우리가, 아니 그녀와 내가 대체 어쩌다가 여기까지 왔는지 알 수가 없었다. 조금 전까지 서로 벌거벗고 뒹굴던 자리는 이렇게 뻔한데, 왜 정작 나의 뇌에는 한 줌의 쾌락에 대한 기억도 저장되지 않은 건지. 도대체 나도 그녀도 전혀 죽일 생각이 없었던 치과청소부는 그런 식으로 죽어버린 건지.

"효정 언니는, 내 손등에 가위를 꽂으려고 했지만."

"……"

"내 손가락 사이에 가위를 꽂았어. 마지막까지, 날 다치게 하려고 해도 다치게 할 수가 없었던 거지. 보다 못한 내가 내 손등에 가위를 꽂은 건데, 내가 내 손을 찍자니 그렇게 깊이 박을래야 박을 수가 없었던 건데."

"......"

"정 실장은, 그걸 효정 언니가 한 걸로 착각했던 거지."

"......"

"효정 언니가 말해줬지. 정 실장이 날 좋아한다고. 풋 내기지만, 한번쯤은 자 줘도 괜찮지 않느냐고 농담처럼 말했었는데. 그 제안을 이렇게 실현하게 될 줄이야."

몸을 일으켜 브래지어의 훅을 걸고 팬티를 입는 미네르바를, 나는 멀거니 바라보았다. 정말로, 모든 게 그저 알 수 없는 미궁으로 빠져드는 순간이었다. 내가, 내가 정말 저 여자를 사랑했단 말인가? 저 여자에게, 그토록 넋이 나가 홀렸던 말인가? 과실치사로 사람을 죽일 만큼?

21

미네르바와 뒤엉켜 몸을 나눈 기억은, 단순한 거래 이상의 힘을 발휘했다. 그걸로도 모자라서, 그 어떤 협박보다도 강력한 경고가 되었다. 언제 그런 일이 있었느냐는 듯이 빠른 속도로 일상에 복귀한 미네르바를 보며, 나는 이미 돌아올 수 없는 강을 건너고 만 나 자신이 철저하게 파괴당하고 만 현실을 되씹고 또 곱씹었다.

나를 파괴한 사람을 나는 죽였다. 아니, 그건 내가 의도했던 죽음이 아니다. 치과청소부 한효정이 그렇게 어이없이 뒤로 벌러덩 미끄러지면서 자신의 키와 맞먹는

높이에서부터 자신의 머리를 타일에 처박아 뇌진탕을 일으킬 거라고 상상한 사람은 아무도 없다. 그녀 자신도 자신이 그토록 허무한 죽음을 맞이할 줄은 미처 몰랐을 것이다.

나는 살인자가 아니다. 치과청소부는 제멋대로 다가온 사신에게 속수무책으로 당했다. 그러나, 그렇다면.

왜 그냥 경찰에 신고해서 내가 그녀를 밀쳤노라고 당당하게 말하지 못했단 말인가?

미네르바 때문이다.

모든 것이 빌어먹을 미네르바, 박정하 부원장으로 인해 벌어진 일이다. 아직도 직함은 부원장이지만, 이제는 채유나 원장으로부터 모든 권한을 위임받아 명실공히 대표원장이 된 그녀로 인해 벌어진 일이다.

순진한 치위생사들은 며칠간 부원장님이 손등에 압박붕대를 감고 진료를 했던 이유를 아무도 궁금해하지 않았다. 미네르바의 손등에 감긴 붕대를 확인한 후, 나는 누나인 채유나 원장에게 정식으로 사직서를 제출했다.

그 사직서는 '이제 내게 인사권이 없으니 박정하 원장님과 얘기하라'는 말과 함께 반려당하고 말았다. 당연한 얘기지만, 박정하 원장이 나의 사표를 수리할 리 만무했다. 결국 나는 다시 휴직계를 냈다. 다시 일상으로 돌아오기 위해서는 시간이 필요했다.

다시 일상으로 돌아오는 데 그리 오랜 시간이 걸리지는 않았다, 고 생각한다.

거래는 쉽게 성사되었다. 이해할 수 없는 이질감을 선사하며 치과 내에서 있어서는 안 될 이물질로서의 위화감을 발산하던 치기구세척사는 사라졌다. 결코 얻을 수 없으리라 생각했던 미네르바의 육체를 탐할 기회를 얻었다. 내가 마음만 먹는다면, 내가 그 육체를 다시 탐하는 건 어려운 일이 아니다. 절벽 어딘가에 누워 있다가 경찰에게 발견된 치과청소부가 누구에게 살해당했는지를 알리겠다고 말한다면, 그걸로 충분한 협박이 될 수 있었다.

그러나 그렇게 하지 못했다.

일상이라고 부를 수 있는 모든 순간들이 이미 오래 전부터 손쓸 도리 없이 파괴되고 말았는데, 바보같이 그걸 이제서야 깨닫고 만 것이다.

22

문현규 형사는, 시종일관 자신이 그 사건의 담당 수사관이 아니라고 주장하면서도 이상하리만치 죽은 치과청소부 사건에 깊은 관심을 보였다. 그가 내민 치과청소부의 일기가 담긴 노트를 보고서야 그 이유를 깨달았다. 그 일기, 한효정이 쓴 그 일기를 가장한 소설은 이미 온 동네에 소문이 파다하게 난 상태였고, 이런 상황에서는 절대적으로 시간 이외에는 아무런 해결책이 있을 수 없었다.

그 소설, 일기라는 형식을 빌려 쓴 그 소설, 묘하게도 서로의 이름이 뒤바뀐 그 소설, 소설 어디에도 미네르바 박 부원장의 이름은 없지만, 서로의 역할을 뒤바꾼 채 상대를 마음껏 능욕하는 한이현 아니 한효정의 삐뚤어진 욕망의 실체가 나를 전율하게 했다.

그녀는, 치과의사 박정하를 결코 사랑한 게 아니었다.

자신이 갖지 못한 그 모든 것을 갖춘 박정하를, 미치도록 증오하고 있었다. 사랑이 아닌 증오를 눌러담아 미친 듯이 써내려갔을 그 일기를 읽는 동안, 나는 그 일기가 진실을 완벽하게 감추고 말리라는 사실을 확신했다.

박 부원장이 그 일기를 미친 듯이 찾아다니고 있다는 걸 알고 있었지만, 모른 체했다. 결국 그녀가 그 일기를 찾기 위해 문 형사까지 찾아갔다는 걸 알면서도 말이다. 그러나 추후 문형사를 찾아가 물어본 바, 그녀는 문형사에게 일기의 존재를 묻지 않았다.

뚜렷한 이유 없이 수사는 종결되었고, 결국 사건은 미제로 남게 되었다. 그 시점에서, 한효정이 병원 홍보를 위해 윗선의 누군가에게 성상납을 했다는 사실을 떠올렸다. 수사가 갑자기 종결된 것은, 그다지 놀라울 게 없는 셈이었다. 권력이라는 건, 그런 것이다. 필요하다면, 언제든지 입막음을 할 수 있는 그들의 힘 앞에서 일개 치과청소부의 목숨은 파리만도 못하다.

그러나 그 파리만도 못한 존재가, 이토록 철저하게 나를 짓밟을 줄은 몰랐다. 서로 간에 아무런 악의도 품지 않았는데, 이렇게 이게 가능한 건지 알 수가 없다. 그러나 한 가지는 확실했다.

그 일기가 모든 진실을 감춘다고 해서, 진실이 완전히 은폐되지는 않으리라는 사실이었다. 어느 날, 모든 것이 완벽하게 잊혀져가는 것처럼 보였던 그 어느 날, 문현규 형사로부터 한 통의 전화가 걸려왔다.

23

"이제쯤은 사실대로 말씀하시는 게 어떻습니까? 누군가는 진실을 알고 있어야 하잖아요?"

그렇게 물어오는 문 형사에게, 내가 당신을 어떻게 믿느냐고 되받아치고 싶었지만 그럴 수가 없었다. 문 형사는 이미 모든 것을 다 알고 있었다. 단순한 형사로서의 직감이 아닌, 그 자신의 개인적인 수사를 통해 얻어 낸 정보를 토대로 말이다.

"제가……이성을 잃었습니다."

"네?"

"제가 이성을 잃었던 거라구요. 원장의 손등에, 시저가 꽂힌 걸 보고."

"시저요?"

"네, 수술용 가위요."

"혹시 이렇게 생긴 겁니까?"

문 형사는 끝이 구부러진 날카로운 외과용 수술 시저가 찍힌 사진 한 장을 보여 주었다.

"네. 맞습니다."

"그래서 어떻게 하셨어요?"

"흥분해서 한효정을, 밀쳤는데……"

한효정의 몸이 반원을 그리며 그대로 바닥으로 떨어졌다고, 그리고 머리에 가해진 충격으로 뇌진탕을 일으켜 그 자리에서 숨졌노라고 결국은 숨김없이 사실대로 털어놓아야 했다.

"자수하시죠."

"네?"

"자수하시면, 정상 참작은 될 것 같습니다만?"

대체 내가 무슨 표정으로 문 형사를 노려보았는지는 나 자신도 모르겠다.

"차라리 바로 경찰에 신고하셨으면 나았을 뻔했습니다. 박 부원장님을 먼저 피하게끔 하신 후에, 바로 경찰에 신고하셨다면 박 부원장님이 범인으로 몰리는 상황은 피할 수 있었을지도요?"

"뭐라고요?"

"뭐, 생각해보니 그 시간까지 병원에 계셨던 이상은, 이래저래 용의 선상에서 자유롭지는 못하셨겠지만, 어쨌든 지금으로서는 박 부원장님이 유력한 용의자입니다. 아니 이제는 대표원장님이시죠?"

"제가 범인이에요."

여전히 혼란스러운 상황 속에서도, 나의 미네르바가 더는 나의 미네르바가 아닌 그저 '대표원장 박정하'가 되고 만 이 현실 속에서도, 나는 일말의 양심을 지키기 위해 안간힘을 쓰고 있었다. 아니 그런데 뭔가가 이상하지 않은가? 도대체 이게 뭐지?

"말씀드린 그대로예요. 부원장님은 한효정에게 손끝 하나 안 댔어요. 적어도 그때는요."

"그렇군요."

"그런데 꼭, 부원장님이 한효정을 죽인 것 같은 그런 착각이 자꾸 들어요. 왜 그런지는 모르겠어요. 분명히 그년을 밀친 건 난데……"

"왜 한효정을 미워했습니까?"

"미워한 건 아니에요."

"그년이라고 하셨잖아요? 호의적인 사람한테 쓸 호칭은 아니죠? 혹시, 박 부원장님과 그렇고 그런 관계라서?"

"그 때문은 아닙니다."

"그러면요?"

"뭔가……자연스럽지가 않았습니다."

"자연스럽지 않았다?"

모든 사물에는 제자리가 있다. 그 자리는, 한효정이 있어야 할 자리가 아니었다. 한효정이 있어야 할 자리가 어디였는지는 모르겠지만, 적어도 박정하 부원장이나 내 주위가 아니었다는 사실은 명백했다.

"그러니까……유치하게 중학생들처럼 병원 내에서 왕따놀이라도 하셨나 보죠?"

"그런 건 아닙니다. 그건 아니지만⋯⋯그년에게는 아니 그 사람에게는, 뭔가 불협화음 같은 그런 이질적인 느낌이 항상 있었다는⋯⋯"

"어쨌든, 사람을 죽일 이유는 못 되는 거죠?"

갑자기 매섭게 차가운 표정을 지으며, 문 형사는 나를 몰아붙여 왔다. 살을 에는 듯 추운 바람 속에서, 비로소 나는 내가 한효정의 시신을 버린 그 산으로 통하는 길목 어딘가에 서 있었음을 깨달았다.

"제가 여기서 죽는다면, 부원장님은 혐의를 벗으시는 거죠?"

"이미 범인이 죽었는데 다른 범인을 찾을 필요는 없으니까요."

"전형적인 범인만들기 수법이군요."

"정도영 실장님, 피해자 코스프레는 그만 하시죠. 진짜 피해자는 당신이 아니라, 당신이 이 산 어딘가에 갖다 버린 그 사람입니다."

"생각할 시간을 주십시오."

마침내 나는 이렇게 대답했다.

"제가 경솔했습니다. 누군가는 책임을 져야 할 일을 만들어놓고 그걸 피하려 했었네요."

"이제라도, 사실과 다른 부분이 있었다면 말씀하셔도 좋습니다."

"제가 오해한 겁니다. 그 가위를 부원장님의 손등에 꽂은 건."

"한효정이 아니라 부원장님 본인이었던 거죠."

"뭔가 자해공갈협박 같은 걸 시도하셨나 봐요. 정확히는 잘 모르겠지만요."

"한효정하고 단 둘이 계실 때 벌어졌던 일이었나 보군요."

"네. 하지만 제가 중간에 들어갔던 거라."

"이제 대충 어떻게 된 건지 알겠습니다."

그렇게 대답하는 문 형사의 표정이 싸늘하고도 스산했다.

"생각할 시간을 드리지요. 극단적인 선택은 가급적 피하셨으면 좋겠습니다. 만약, 지금까지 말씀해주신 내용이 모두 사실이라면 말입니다."

24

그러나, 이미 한효정의 일기를 읽고 만 지금, 나는 극단적인 선택을 피할 수 없다고 느낀다. 오늘도 평온하게 돌아가는 주변의 모든 일상들, 그 일상들 속에서 바삐 움직이는 미네르바를 보며, 나는 나를 잡아끄는 어떤 손의 힘을 느낀다.

적극적으로, 타인의 고통을 외면하는 자를 증오하라고 속삭이는 목소리를 듣는다.

단 한번도 어둠 속을 걸어보지 않은 자에게 깊은 어둠을 보여주라고 속삭이는 목소리가 내게 차용증서를 들이밀고 있다.

나는 이제 어둠이 될 것이다. 어둠을 알지 못하는 눈부신 태양에게 어둠 속을 걷는 고통을 선사할 것이다. 돈으로 살 수 없는 것을 욕망하지 말라는 경고를 필요로 하지 않는 존재들에게, 돈으로 살 수 없는 것을 욕망하게 만드는 고통을 선물할 것이다.

내가 어둠이 되고 난 어느 날, 벽을 붙잡고 무너져내리며 고통에 겨워 신음할 날이 반드시 그녀에게 찾아올 것임을 확신한다. 죄책감이 아닌, 돈으로 살 수 없는 그 어떤 것, 언젠가는 간직하고 있었지만 어느 새 잃고 만 그 어떤 것 때문에.

그리고 그 순간, 돈은 그녀의 흐르는 고통을 닦아주지 못할 것이다. 그 어떤 거래로도, 그 고통을 타인에게 떠넘기지 못할 것이다. 그녀가 감내해야 할 고통에는 가격표가 붙지 않을 것이다. 돈으로 성사될 수 없는 거래는, 매우 드물기는 하지만, 세상에 분명히 존재한다.

후기

    아고타 크리스토프의 소설 **<존재의 세 가지 거짓말>**
과 **데이빗 린치** 감독의 영화 **<멀홀랜드 드라이브>**는
전개방식에서 절묘한 구조적 공통점을 가지고 있는 작
품들이다. 어딘가 기묘한 것 같으면서도 현실로 받아들
일 수 밖에 없는 설득력을 지니고 산화한 하나의 이야
기가, 임의의 변수를 거친 다음에는 전혀 다른 이야기
로 환원되는 구조이다. 이 환원된 이야기는 특정한 구
심점이 되는 변수를 기준으로 환원된 이야기가 환원되
기 전의 이야기와 겹쳐지는 이른바 '점대칭도형'과도
같은 관계를 형성한다. 그 결과 두 겹의 이야기는 서로
틀어진 방향을 올바르게 맞췄을 때 하나의 이야기로 겹
쳐지게 된다.
    이 독특한 전개 방식의 공통점을 두 작품으로 포착한
후, 나는 데이빗 린치 감독이 분명히 아고타 크리스토

프의 작품을 읽었으리라고 확신하는 동시에 그 당시 내가 구상했던 소설에 이 형식을 차용할 수 있으리라는 확신을 갖고 내가 하고자 했던 이야기를 머릿속으로 구성하는 작업에 착수했다. 놀랍게도 힘들지 않게 원했던 이야기의 구조가 완성되었다.

그러니까 요약하자면, 이 작품의 모태가 된 두 작품은 다름아닌 <존재의 세 가지 거짓말>과 <멀홀랜드 드라이브>이다. 이 사실은 매우 중요하다. 문학사에서 그리고 영화사에서 제각기 빛나는 업적을 남긴 두 거장의 작품을 재해석하는 영광을 누릴 수 있게 해 준 작품이 바로 이 작품, 역광(逆光)이다.

하나의 작품을 탄생시킨 후 세상에 내놓을 때 언제나 직면하는 질문이 있다. 다소 뻔하고 식상하지만 피해갈 수 없는 질문; **대체 이 작품을 통해서 당신이 전하고자 하는 메시지가 무엇입니까?** 대체로 나는 이 질문에 대답하기를 피하는 편인데, 가장 큰 이유는 작가가 질문하는 존재이지 대답하는 존재는 아니며 대답은 작품을 해석하는 독자의 몫이라는 것이다. 하지만 이 작품, <역광>에 한해서만큼은 예외적으로 명확한 대답을 제시할 수 있을 것 같다.

우리는 인간이다.

그리고 인간인 우리는 동물과 다르다는 증거로 자존심, 내지는 자존감이라 부르는 것들을 죽을 때까지 간직하며 살아간다. 그러나 이 자존감은 오늘날 돈 앞에서 무참히 파괴당할 수 밖에 없다. 돌이켜보면 인간은 시대에 상관없이 언제나 자신이 속한 사회의 냉혹한 본질로부터 자신의 자존감을 지켜내기 위해 투쟁해 왔다. 여기서 나를 화나게 한 것은, **사회의 구조적 문제로 인해 내팽개쳐지는 개인의 내적 자존감이 사회 문제가 아닌 단순한 개인의 투쟁에 불과한 문제로 치부된다**는 점이었다.

인간으로서의 존엄성을 지켜내기 위한 투쟁이 단순히 세상을 살아가는 몇 사람만의 문제로 국한된다고 생각한다면 이 문제는 개인적인 문제로 간주될 수 있을 것이다. 하지만 나는 실추된 자신의 위신과 손상당한 자신의 인간으로서의 위엄 때문에 심각한 내상을 입고 괴로워하는 사람이 단순한 몇 사람만의 문제라고 생각하지 않는다. 우리가 세상을 보기 위해서는 빛이 필요하지만, 한밤중에 대로를 내달리는 차들이 내뿜는 서치라이트의 역광(逆光)은 그 눈부신 빛으로 우리를 눈멀게 한다. 자본주의의 눈부신 역광이 지배하는 세상에서 돈의 가치가 인간의 가치를 앞서는 구조적 질서는 개인의 내적 자존감을 파괴한다. 이것이 어째서 개인에게만 국한된 문제라고 단언할 수 있는가.

한 인간의 내적 파멸이 어떻게 사회의 폐단과 연결되어 있는지를 (다소 흉측하더라도) 적나라한 방식으로 드러내고 싶다는 욕망이 나로 하여금 이 작품을 쓰도록 만들었다. 단언컨대 이 작품은 실제 사건과는 전혀 무관한 작품이지만 (그 사실을 의심하고 싶다면 앞서 언급한, 내가 차용해서 재해석한 두 작품을 어떤 식으로든 접해보시기를 권한다), 적어도 한효정이라는 인물을 통해 그려냈던 그녀의 일기는 그 어떤 실제의 사건 못지않게 자본주의 사회에서 대다수의 여성들이 처한 현실을 반영하고 있다. 단언컨대 타인을 향한 조건없는 헌신만큼은 돈으로 거래할 수 없다. 마찬가지로 파괴당한 인간의 존엄성 역시 돈으로는 치유되지 않을 뿐더러 치유하려는 시도 자체가 소용없다고 느낀다. 우리의 삶은 우리가 성실하게 살아가야 할 가치를 우리 스스로 파괴해가는 과정의 연속이다. 이 후기를 빌어 이 작품을 읽으시는 여러분께 묻고 싶다. 스스로가 살아갈 가치가 충분한 인간이라고 느끼며 살아오기만 했는지. 그게 아니라면, 자신을 짓밟는 사람은 없는데 짓밟혔다는 기분이 들 때 당신은 누구를 탓하며 스스로를 일으켜세웠는지.

2024년 4월
Kalsavina